「奇跡」と呼ばれた日本の名作住宅

X-Knowledge

目次

1960年以前

1960年代

1970年代

都市住宅の時代

1980年代

環境意識の高まり

1990年代

バブル崩壊と住意識の変貌 094

2000年以降

住宅の進むべき道とは 118

バックナンバー復刻

本書は、2014年6月刊行のムック本『「奇跡」と呼ばれた日本の名作住宅50』を加筆修正のうえ、再編集したものです。

1960年以前

時代の総括

小住宅の時代

小住宅の誕生

敗戦後の5年間は建築家や研究者によって理論的に住意識の変革が試みられたいわば助走の時期。住宅金融公庫法（1950）、公営住宅法（1951）、日本住宅公団法（1955）という戦後住宅政策の3本柱が出そろった'50年代からが本格的な戦後住宅のはじまりである。

公営住宅の標準設計「51-C型」に採用されたDKタイプは、日本住宅公団にも受け継がれ、RC造による中高層集合住宅という住居形式を全国的に普及させることになる。3本柱の皮切りである住宅金融公庫法は、自力建設による持ち家主義を推進するための方策。特需景気を背景に公庫融資の小住宅の建設がブームとなり、建築家たちも積極的に参画するようになった。「新建築」誌上を賑わせた小住宅コンペでは時代を先取りする優れた提案が寄せられ、戦後を担う新人の登竜門ともなった。この時期の小住宅には、平屋で緩勾配の切妻屋根を基本としたものが多い。そこへピロティ形式のものが登場するのは**吉阪隆正**の「自邸」（1955）や「浦邸」（1956）あたりからで、コルビュジエの都市論の影響によるものであろう。ピロティ形式の住居は丹下健三「自邸」（1953）をはじめとする優れた作品を生みだし、**菊竹清訓**の「スカイハウス」（1958）で結実する。

小住宅の到達と限界

'50年代も末になると蜜月の関係にあった建築家と小住宅との関係に暗雲が立ち込めるようになる。

'58年に発表された八田利也（※）の論考「小住宅ばんざい」は建築界に大きな波紋を投げかけた。建築家が模索してきた一般解としての小住宅は、すでに「L+nB」というかたちで定型化を果たしていること、今後は建築家の手を離れて展開していくこと、そして住宅はマスプロ型とデラックス型とに分極化されることを予見したもので、小住宅における建築家の役割は終わったとしている。「スカイハウス」の誕生と「小住宅ばんざい論争」は、建築家の小住宅設計の到達点と限界点とを同時に示す出来事であった。

'60年代の主役の1つとなるプレファブ業界では、**大和ハウス工業**の「ミゼットハウス」1959を皮切りに技術革新の気運に乗って多くのハウスメーカーが活発な活動を展開するようになる。

✣1 磯崎新、伊藤ていじ、川上秀光が組んで使用したペンネーム

「建築知識」
バックナンバーに見る
[建築]の歴史

1960年以前

小住宅の時代

'59年4月号「台所の研究」

調理器具を納めましょう

戦後、小さくなった住宅でどのように台所を設計するのか。また、機械化されて大きな面積を占めるようになった調理器具をどうするか。今後の台所の方向性を実例と共に探っている❷

連載|台所の研究|4月号|

アンカーボルト×大根=?

コンクリートの打設前にアンカーボルトを大根に突き刺すという当時の現場での衝撃の工夫が載っている。内田祥哉氏によるレポート

連載|公団試作・軽量鉄骨住宅の報告その1|2月号|

本稿掲載作品　建築にまつわる出来事

4月　3月　2月　1月　1959年　1958年以前

- 清家清「斎藤助教授の家」(1952)
- 吉阪隆正「浦邸」(1956)
- 林雅子「傾斜地に建つ家」(1956)
- 池辺陽「No.38(石津邸)」(1958)
- 前川國男「晴海高層アパート」(1958)
- 菊竹清訓「スカイハウス」(1958)

● メートル法の実施
長さを表す単位として、これまでの尺貫法が廃止され、土地・建物の表記を除き、メートル法が実施された(全面的な適用は'66年4月1日)

● 建築基準法改正
防災規定が強化。木造住宅では壁量規定が強化され、床面積当たりの必要壁長さ、軸組の種類・壁倍率が改正

ソ連が見た日本の景観

ソ連から日本を訪れた建築労組代表団は、箱根・富士屋ホテルに感激し、街にあふれるパチンコ屋を見て憤っていた

報告|ソ連の建築労組代表が日本でみたこと|3月号|

メートル法、準備はいいですか?

メートル法の完全実施を目前に、モジュール研究の権威・池辺陽氏が行った尺とメートル単位についての誌上講義 第1回

連載|メートル法と建築の寸法問題|1月号|

要するにすべてが新しいんです

日本住宅公団初の10階建て高層賃貸住宅であり、かつ日本の高層集合住宅の原点である「晴海高層アパート」を技術の面から詳細に解説❶

特報|晴海高層アパート|1月号|

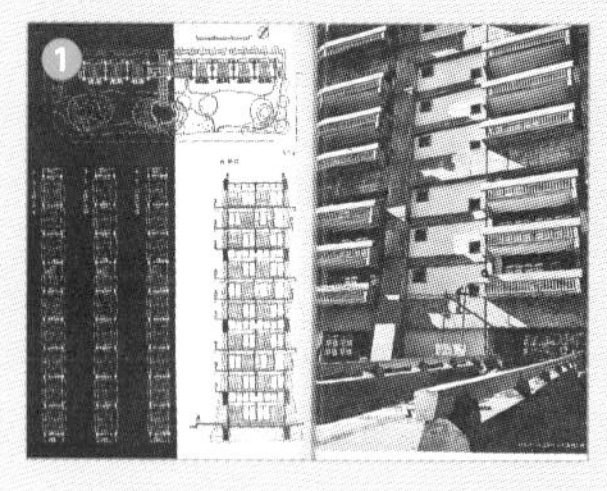

'59年1月号
「晴海高層アパート」

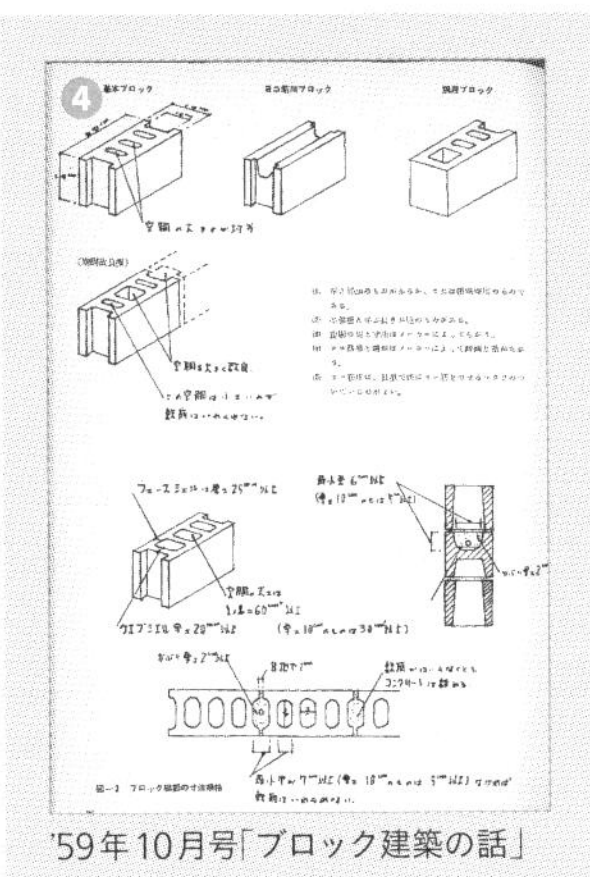

'59年10月号「ブロック建築の話」

防水の秘薬

コンクリートに防水剤として石鹸を入れることに効果はあるのか、といった現場からの質問を受け、大井元雄技師が科学的に解明。「石鹸混入が防水の秘薬ということはない」と断言

記事「鉄筋コンクリートと防水」［10月号］

諸行無常——ブロック建築物語

全国どこに行ってもコンクリートブロック（CB）建築が目にとまる時代。「建築知識」でも何度もCB造の特集を組んでいた❹

連載「ブロック建築の話」［10月号］

安かろう悪かろう

政府による「安易な住宅政策」として次々と建てられる公共住宅の"質"について、池田亮二氏が舌鋒鋭く切り込んでいる

記事「アパートとスラムの間」［5月号］

12月 | 11月 | 10月 | 9月 | 8月 | 7月 | 6月 | 5月

- 5月 増沢洵「ケーススタディハウス（伊東邸）」
- 6月 国立西洋美術館が開館❸
- 9月 伊勢湾台風襲来
- 10月 大和ハウス工業「ミゼットハウス」

鉄骨でつくることには意味がある

富士製鐵が企画した鉄骨公営住宅設計案について、公営住宅を鉄骨でつくることの意義を広瀬鎌二氏が解説

記事「公営住宅標準設計案について」［6月号］

自然災害多発国の宿命

伊勢湾台風の被害について住宅金融公庫の標準仕様が木造住宅の技術向上に貢献し、風による被害は室戸台風時に比べて減少したと考察する一方で水による被害は甚大で、建築は水災まで考えなければならなくなったと述べている

連載「伊勢湾台風の教訓（上）」［11月号］

時代は工業化へ

社会と機械技術が調和した将来像を描くとき、建築の工業化は必然だと述べている

記事「機械化と建築」［12月号］

'59年7月号「グラビヤ・国立西洋美術館」

斎藤助教授の家

［1952年］

清家 清

せいけ・きよし［1918―2005］1941年東京美術学校（現、東京藝術大学）、'43年東京工業大学卒業。復員後、東京工業大学助教授を経て、'62年同大学教授に就任。東京工業大学名誉教授。'50年代、革新的な小住宅を発表することで都市住宅の雛形を提案した。

伝統とモダニズムの融合

終戦直後、建築資源が不足している状況下でいかにして近代建築の造形性を表現するかが課題となっていた。そんななか、清家は日本を根拠にした「モダニズム」において、住宅に1つのモデルを与えた。

「斎藤助教授の家」は清家の初期の名作。架構を工夫して、梁の少ない構造とすることで、ゆるやかに外部空間へとつながっていく特徴をもつ。広さは、延床面積18坪ぎりぎりの小住宅である。

竣工時、建築主は夫婦と子ども2人の家族構成で、将来的には北側に増築することを前提に浴室は省かれた。西端の3畳の寝室のみ私室としての独立性を確保することで、リビングを中心とする広い公室空間をつくっている。フラットな天井、可動式の畳が置かれたフラットな床などは、ミース・ファン・デル・ローエのユニバーサル・スペースを彷彿とさせる。縁側と外部を仕切る建具はガラス戸とガラリの付いた雨戸で、南側にデッキを設け、庭とのつながりを演出している。近年、惜しくも解体されたが、日本的な感性とモダニズムとが融合した清家デザインは、今日の住宅設計の発想の源流として脈々と受け継がれている。

構造：木造平屋　施工：中野組

テラス　デッキ　浄化槽　納戸　台所　ベッド　トダナ　居間　客間　寝室　玄関　デッキ

1,210　2,420　1,210

3,185　2,730　2,730　3,640　1,060　1,210

N

平面図 1:250

1,060　1,210　1,210　1,210　1,210　455　606

10　2

3,560　3,080　雨戸ガラリ戸　縁側　630　1,730　2,360　客間　台所　970　2,985　758　455　デッキ　GL

断面図 1:120

「建築知識」1962年11月号の特集「読者が選ぶ作家と作品（第3回）」で、ブロック造を中心とした住宅を紹介（第1回は吉田五十八氏、第2回は池辺陽氏）。'83年7月号の300号記念特集「原点としての設計スピリッツ」では、氏の自邸で敢行した、清家自邸についてのインタビューを掲載。「私のエスキース作法」（'76年11月号）では、多くの貴重なスケッチを掲載した。

(提供:デザインシステム)

写真上:敷地勾配から北西側はオーバーハングすることで軽やかに空中に突出させている
写真下:天井に張られた"銀もみ"の和紙が、南側のデッキに反射して入る光によって輝く(撮影:平山忠治)

よしざか・たかまさ［1917―1980］1941年早稲田大学理工学部建築学科卒業。'50年にフランス政府給費留学生として渡仏し、2年間ル・コルビュジエに師事。'54年吉阪研究室を創設（'64年U研究室に改称）。それぞれに個性をもった「個」が独立を保ちながら集まった「不連続統一体」という考え方が、建築や都市計画のあり方に影響を与えた。

浦邸

［1956年］

吉阪隆正

構造　RC造2階建て　施工　横田建設

人工土地という提案

吉阪はコルビュジエの都市デザイン理論に強く影響され、「人工土地[※]」の概念のもと'55年に東京・新宿区百人町に自邸を建てた。「浦邸」はその自邸に続く試みで、人工土地としてのピロティを採用している。いずれも菊竹清訓の「スカイハウス」の先駆的作品。

公室群と私室群に分けられた2つの正方形平面のブロックが、ピロティによって持ち上げられている。2つのボリュームの接点に当たる階段室およびホールにはモデュロールで分割したアクリルから鮮やかな光が射し込む。ピロティ部は駐車場のみでなく、子どもの遊び場などさまざまな野外生活の場としても活用される。コルビュジエの荒々しい打放しコンクリートを用いた彫塑的な表現に影響された吉阪特有の重厚なコンクリート表現が力強い。竣工後、道路の拡幅によりアプローチのヒマラヤ杉が伐採されたが樹木が生い茂る前の竣工時の姿に戻っている。登録有形文化財の指定を受けた手入れの行き届いた姿を見ることができる。

当時はまだ住宅デザインに「都市」という問題意識が取り入れられていなかったなか、人工土地という提案は、後の都市住宅の発想のきっかけとなった。

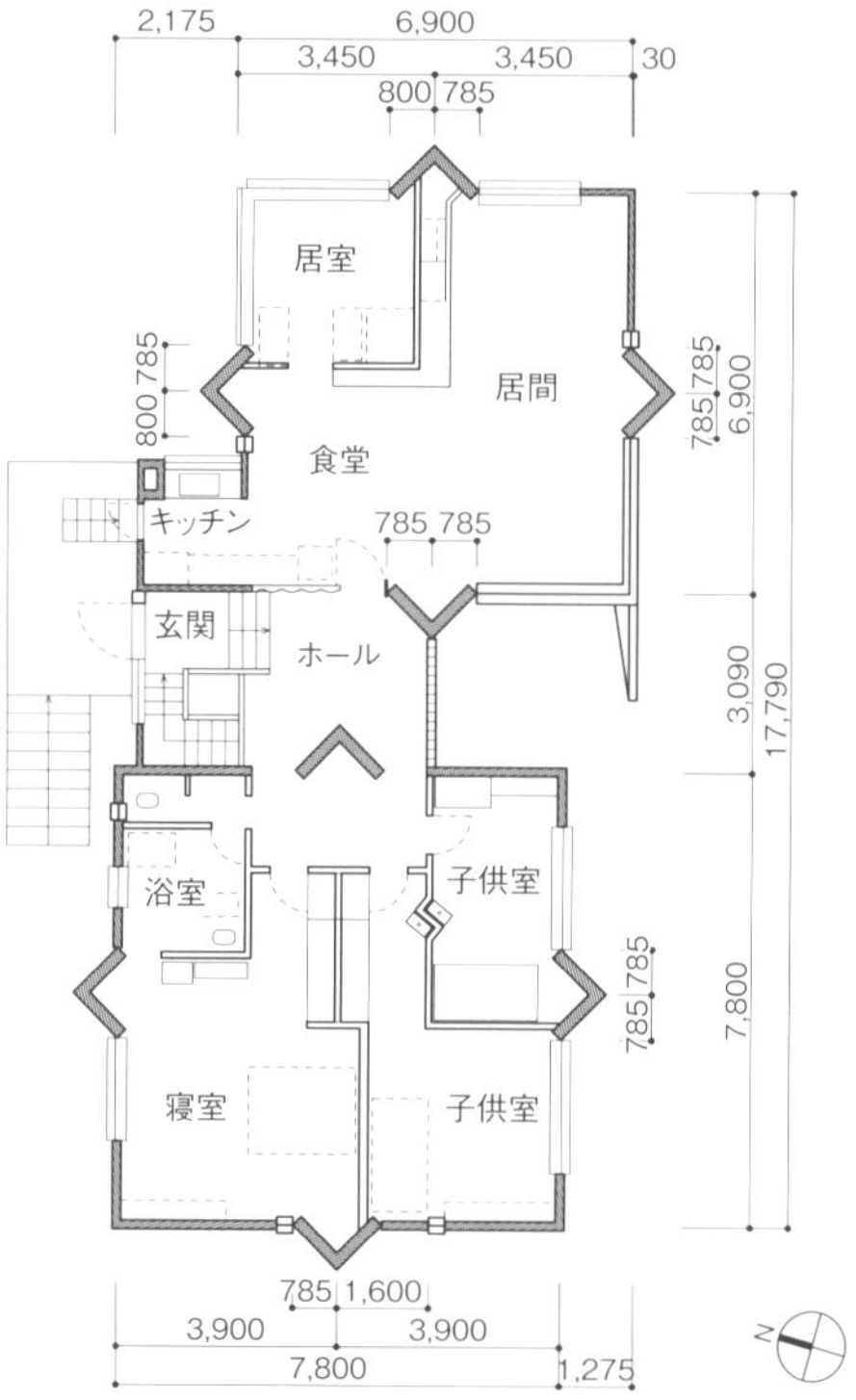

2階平面図 1:250

吉阪と建築主の浦太郎氏はパリで出会い、ル・コルビュジエのスイス館を見ながら、浦氏は自宅の設計を依頼する。正方形を2つ組み合わせたプランが生まれ、人工土地のピロティで敷地を開放した。公共的な役割を果たす住居を提案するまちづくりへと展開していった。

齊藤祐子（サイト代表・元U研究室）

※：インフラの整備されたRC造の恒久的な土地

写真：西外観、現在は、道路拡幅工事によりアプローチ空間は道路の一部になっている（撮影：北田英治）

（個人の生活を主とした棟と、団らんの生活を主とした棟と、別々に建ててつないだ例。）

浦邸（北面外観。左が団らん及び老人の棟、右が夫婦、子供の生活の棟で、玄関・ホールでつないでいる）

1963年4月号「読者が選ぶ作家と作品⑤ 吉阪隆正とその住宅論」より

はやし・まさこ［1928－2001］1951年日本女子大学家政学部生活芸術科住居専攻卒業後、清家清に師事。'58年中原暢子、山田初江とともに林・山田・中原設計同人を設立。一連の住宅作品で、'81年女性初の建築学会賞を受賞。モダンでありつつも住みやすい住宅を中心とした設計活動を行った。

傾斜地に建つ家

［1956年］

林 雅子

構造：木造2階建て　施工：菊地工務店

住み心地のよさとモダンリビング

林は、建築の本質は住宅にあるとし、個人からの注文による戸建住宅を数多く手掛けた。林のつくる住宅は、いずれも家庭生活のことが考えられ、シンプルで住みやすく、同時にモダンな空間を実現した新しいものであった。男性ばかりの建築設計界にあって、林は着実に実績を積んでいった。

「傾斜地に建つ家」は木造2階建て、延床面積28坪の住宅である。敷地は高低差約3.5mの、東下がりの傾斜地。自然のままの傾斜を生かして住宅内に3段の床レベルをつくり出している。敷地が低いところを2層とし、緩勾配の切妻屋根が全体を平らに覆っている。1階の入口、廊下、居間、台所などの床は、土間コンクリートの上にアスファルトタイル張り。1段上がった床には畳敷きの寝室と客間。

2階の寝室は吹抜けを通して居間とつながる。のちに住宅史を飾る名作の数々をつくることになる女流建築家の出発点ともなった。

時代が住宅の工業化へと流れるなか、それに逆らうかのように、千差万別の住まい手の生活を軸にした林の住宅は、日本住宅史のメインストリームには乗らずとも、脈々と現代まで受け継がれている。

2階平面図
1:250

1階平面図
1:250

「傾斜地に建つ家」は「建築知識」創刊号（1959年1月）の巻頭を飾った。雅子氏と結婚したばかりの林昌二氏が軽妙な紹介文とイラスト入りの図面などで、近代の生活と住まいを分かりやすく解説している。平らに整地してから家を建てるのではつまらない。傾斜を上手に生かした家を建てられたら、平らな土地よりかえってうまい家になるかも知れない。昌二氏は、そんな考え方がこの家の計画の基本になっていると述べている。

写真：手前が寝室。奥の南側に居間や厨房などの生活部分が配置されている
（撮影：平山忠治）

1959年1月号「今日のすまいと暮し」より

（撮影：平山忠治　イラスト：林昌二）

いけべ・きよし[1920―1979]1942年東京帝国大学工学部建築学科卒業後、同大学大学院に進学。'44年坂倉建築研究所に入所。'46年より東京大学で教鞭を執る。'50年、住宅の合理性を追求した「立体最小限住居」を発表し、住宅における機能主義の理論を建築として具現化した。また、'55年にモジュール研究会を設立。精力的にモジュール研究とその適用的実践を行った。

No.38（石津邸）

［1958年］

池辺 陽

構造：RC造2階建て　施工：白石建設

箱形、モジュール

池辺は戦後、住宅の工業化やユニットデザインの研究に力を注ぎ、自身も多くの住宅を設計した。

「石津邸」は増沢洵の「伊東邸」同様、ケーススタディハウスの1つとして生み出された［38頁参照］。建築主は「VAN」を創設しアイビールックを日本に持ち込んだファッション界のリーダー・石津謙介。

また、戦後の池辺が追究してきた実験住宅「住宅ナンバーシリーズ」の38番目になることから「No.38」とも呼ばれている。

RC造打放しとスチールサッシ、ガラスなどによる単純な箱形ながら、内部に段差を設けた変化に富む空間構成をもち、子供室など将来への増築にも対応している。中庭を抱え込んだL字形の配置は、高密度ながら自然を取り込んだ都市型住宅のモデルとして提案された。設計者が提示した単純明快な箱形建築に、住まい手が個性的な生活の痕跡を加えて完成させた'50年代の名住宅。のちに宮脇檀（まゆみ）が2階テラスへの増築などを担当している。

'50年代には多くの最小限住居がつくられた。箱形やモジュールの考え方は、のちに「箱の家」シリーズを手掛ける難波和彦らが引き継ぎ、現代の住宅に適用している。

2階平面図 1:250

1階平面図 1:250

「建築知識」1962年9月号の特集「読者が選ぶ作家と作品（第2回）・池辺陽とモジュール」では、'66年のメートル法完全実施とともに、モジュールの権威であった氏の実例と解説を詳細に掲載している。日本には元来、尺寸という標準寸法があるが、新たに統一された寸法（モジュール）を使用することで建築は工業と強く結びつくことを説いた。

写真：竣工時は打ち放しコンクリートの壁であったが、寒さのため、建築家の宮脇壇によって板張りに変更された（撮影：大川三雄）

きくたけ・きよのり［1928─2011］1950年早稲田大学理工学部建築学科を卒業後、同年竹中工務店に入社。村野・森建築設計事務所を経て、'53年に菊竹清訓建築設計事務所を開設。メタボリズム・グループの中心メンバーであり、島根県立博物館（'59）、出雲大社庁の舎（'63）、久留米市民会館（'69）など多くの公共建築物を設計した。

スカイハウス

［1958年］

菊竹清訓

構造　RC造2階建て　施工　白石建設

メタボリズムの住まい

菊竹は1960年代の建築ムーブメントの主流であったメタボリズム（新陳代謝理論）・グループの主要メンバーとして、「出雲大社 庁(ちょう)の舎(や)」（1963）など建築史に残る建物を青年期から設計。

「スカイハウス」はメタボリズムの優れた実践例であり、戦後住宅史の金字塔の1つだ。1辺が約10mの正方形平面のRC造の箱が4本の壁柱によって空中高くに持ち上げられた、文字どおりの〝スカイハウス〟。屋根はHPシェル構造。正方形平面の1室空間は、夫婦を単位とした「空間装置」であり、ここに浴室・台所・収納という3つのムーブネットと呼ばれる「生活装置」が組み込まれている。ムーブネットは変わりゆく家の機能に応じて移動・取り換えが可能で、子供室もムーブネットとしてピロティ部分に吊り下げられた。センターコアを逆転させた発想であり、増築を上下方向に設定したことも斬新。竣工後、周辺環境の急激な変化に伴ってメタモルフォーゼを繰り返し、現在はピロティ部も居室化されている。

核家族化といったライフスタイルの変化に対応し、新しい家族のあり方を表現する住宅の原型の1つとなった。

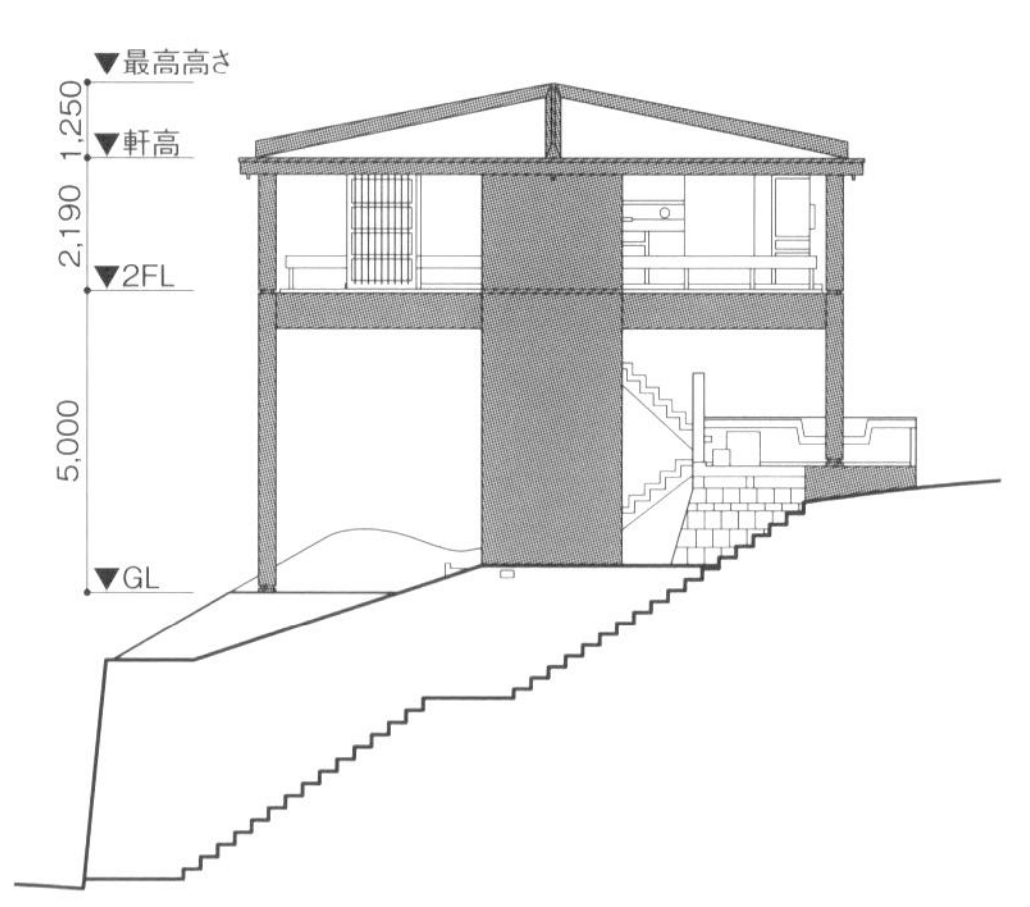

南側立面図 1:250

2階平面図 1:250

「建築知識」1979年2月号の創刊20周年特集「20年20人のディテールII」で、鈴木 恂(まこと)氏が「スカイハウス」について「コンクリートの可能性に魅(ひ)かれて」と題した一文を寄せている。氏はそのなかで「スカイハウスがコンクリートの世界の一方の可能性を暗示しているように受け取れた」と綴った。

写真：1辺約10mの正方形ワンルームが壁柱で空中に持ち上げられる。単純な構造ながらも水平方向への広がりを断った、自立した空間をつくり出している（撮影：川澄明男）

ますざわ・まこと［1925—1990］1947年東京帝国大学工学部建築学科卒業後、レーモンド設計事務所入所、アントニン・レーモンドに師事。'56年増沢建築設計事務所を開設。自邸でもある「最小限住居」('52)は、日本の木造建築の手法を用いたモダニズム住宅の1つの典型となった。'78年に成城学園の建築作品群で日本建築学会作品賞を受賞。

ケーススタディハウス（伊東邸）

［1959年］

増沢 洵

構造　RC造＋木造2階建て　施工　白石建設

ピロティとコア

増沢は住宅の合理化・単純化を目指した建築家といえる。彼の作品で最も有名な「最小限住居」は、延床面積15坪という小品ながらも、生活に必要な要素がコンパクトに納まったシンプルでモダンな住宅デザインだ。

「伊東邸」は米国の「ケーススタディハウス」をモデルに、雑誌「モダンリビング」の編集部が企画したもので、設計料は編集部、工事費は建築主が負担した。建築主は「家族構成が3世代にわたらず近代的生活をなし得る」ことが条件で選ばれ、建築家も編集者によって決められた。池辺陽、大高正人、増沢洵の3人によって3つの住宅が建てられた。RC造のピロティの上に木造を重ねる増沢の手法は、師であるレーモンド譲り。コアとなる設備系を構造から分離し、台所や浴室などを建物の中核部分に集中させることにより、動線の単純化・合理化を実現している。

コアシステムによりそのほかの部分は単純な構造となり、ユニバーサルな空間を展開している。最小限で高い居住性を確保する考え方は、現代の建築家にも影響を与えている。「コアのあるH氏の住まい」（1953）とともに'50年代の掉尾を飾るにふさわしい作品。

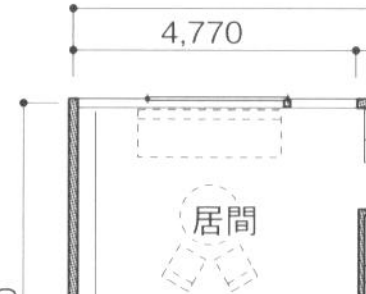

2階平面図 1:250

断面図 1:150

増沢氏は1989年1月号の特集「住宅の['50年代]」で、池辺陽氏、清家清氏、広瀬鎌二氏とともに'50年代を代表する住宅作家として登場し、規格寸法へのこだわりなどについて語っている。手前味噌だが「住宅の['50年代]」は建築知識の名特集として、今なお読者に語り継がれている。

写真上：将来の増築も視野に入れて採用されたピロティが、道路からの視線を遮る役目も果たす
写真下：増沢氏が生涯追求し続けたコアシステムを用いることで、居室部分が単純化された
（提供：増沢建築設計事務所、撮影：川澄明男）

増沢洵氏は自邸「最小限住居」(1952年)の建設に当たり、当時発足したばかりの住宅金融公庫の融資を受け、その限度内で費用を賄うことを考えた。空間的に最小限であると同時に、ローコスト住宅への試みでもあった。若い建築家にとって小住宅の建設ラッシュは、仕事を増やしてくれる、またとない機会だった。

記事: インタビュー[増沢洵]
特集: 住宅の['50年代]
掲載号: 1989年／1月号

特集インタビュー……[二]……【聞き手】内田祥士

増沢洵

「"H氏の住い"をつくるとき、柱の一本もない家にしようと思った」

◉増沢洵の図面には、現場のリアリティとアトリエの感性が織り合わされている。それは、増沢が鹿島建設とA・レーモンドのアトリエを経て独立したという出自によるものだ。ギリギリの規格寸法にこだわった自邸「最小限住居」、敷地全体に屋根を架けるというイメージの「コアのあるH氏の住い」、この二つの'50年代の代表作を中心に、当時を語ってくれた。

◉鹿島からレーモンドへ

内田 H邸もご自邸も、レーモンドの事務所におられた時代に手掛けられたのですか。

増沢 そうですね、昭和26～28年ぐらいです。

内田 その前は鹿島建設で設計をやっておられましたね。

増沢 私は22年の9月に大学を卒業しているんです。新卒で入ったんですが、しょっぱなから現場でしたね。その現場が、今はもう無いですが、前の煉瓦造りの最高裁判所の改造だったんです。

鹿島としては、これはとにかく立派に仕上げなくてはいけないっていうことで、選り抜きの主任さんを向けたわけ。スタッフは、将来鹿島に役立ってくれるだろうという人に目星を付けて派遣したんでしょうね。随分それらしい人がいましたね。そういうスタッフで構成して、主任さんもやっぱり鹿島の切り札みたいな人が来たわけですよ。そうすると、やっぱりそういう雰囲気に僕なんかはなかなかなじめない。設計を勉強したいということでやめたけど、同じようにやめた人も多いんじゃないですかね。

内田 増沢さんはおやめになる前に、現場から設計部へ移られてますね。

増沢 現場を2年くらいやってからですね。その間は二十分の一を見ながら現寸を描く、というようなことが多かったですね。それで設計部に行くと、やっぱり、あいつは現場にいたからって、また現寸を描かされるんですよ。2年現場にいて、工事の区切りがちょうどついたときに、設計部に回してくれませんかと言って設計に行ったわけ。それで1年ちょっといたんですが、その時にレーモンドが設計した日本楽器の建物を鹿島がとった(★1)。それで設計図の手伝いに鹿島建設から人を出すという話があったんです。設計部の中から誰か人が欲しいってレーモンド事務所が

★1 日本楽器山葉ホール(東京・銀座一九五〇年)。

言っているけれども、希望する者はいるかって言うんで、僕が立候補したわけです。

内田　鹿島の図面とレーモンドの図面というのはどんな風に違うものなんですか。

増沢　鹿島ではA1サイズの図面を一日一人一枚描くと、一人前と評価されていたみたいですね。でも一日一枚っていうのはなかなか描けないわけですよ。一日一枚描くには、やっぱり、はしょるとこははしょるとかね、そういうことがあるわけです。それに対してレーモンド事務所は、図面を描き上げるスピードに関しては何も言わないんですよ。だから、一人がその大きさの図面を仕上げるのに一週間位かけてたんじゃないですかね。だからそれなりの密度が出るわけね。

　やはりそういう図面上の密度っていうのが違ってましたね。一日一枚描くには、要するに平面も断面も、あまりゾウモツ（見えない部分）は描かないんですよね。断面だと、ゾウモツなんかは描かない。骨組みの外形線があって、それに仕上げの線を描くと、なんか間が抜けちゃうわけね。だから仕上げの線を濃く描いてアクセントをつける。それでどっちかというと、ショードローイングに近いような図面になってくるわけね。

　レーモンド事務所の図面は一週間かけますからね。そうすると何でも克明に描くわけですよ。だから、その辺が違ったような気がしますね。

内田　当時、レーモンド事務所には、所員は何人ぐらいいたんですか。

増沢　はっきり憶えていませんけれども、10数人位だったでしょうかね。僕と同じように出向型の人間が多かったですね。清水とか竹中とかから、何人か来てましたよ。で、その人たちがレーモンド事務所の設計の、中心でもないけれど、主要な部分を担ってましたね。

　そういう出向してきた人たちが、どういう図面を描いたかっていうのは憶えていないんですけどね。やはりそれなりにレーモンドの影響を受けて、施工会社の設計部の図面よりは丁寧に描いてたんじゃないですかね。

◉レーモンド事務所時代

内田　レーモンド事務所時代のことを少しお聞かせいただけますか。

増沢　昭和25年の夏か秋に出向として行って、リーダーズダイジェスト（★2）の時には現場にもいたんですよ。あれは施工が竹中でしょ。で、竹中の現場事務所と並んでレーモンド事務所の現場常駐員の事務所があり、それとまた別にもうひとつ現場事務所があって、そこにレーモンド事務所があったわけです。おやじ（レーモンド）はその頃、パレスホテルに泊まっていて、そこから通って来るわけです。

内田　当時のレーモンド事務所というのは、比較的大きな建物を建てていたという印象があるんですが。

増沢　そうですね。それでね、リーダーズダイジェストができたでしょ。で次がアメリカ大使館のペリーハウス（★3）で、その現場の敷地の中に現場小屋を建てて、そこをレーモンド事務所が使っていたんですよ。

　それで、あれはちょっと大きかったんで、あの敷地の中に事務所とおやじのアトリエと宿舎もできたんですね。そこには1年ぐらいいたんじゃないですかね。それは大きな事務所でしたね。

内田　ペリーハウスは共同住宅ですね。

増沢　はい。

内田　すると、増沢さんがレーモンド事務所時代に独立住宅をおやりになったことは。

増沢　今の渋谷の上通りに恵比寿に抜ける道がありますよね。そこに建っている森村邸というのをやったことあるんですよ。それからソロモン邸（★4）というのを担当しましたね。

内田　そうすると、ご自邸を設計されるときに、大きなものと住宅と、両方を仕事として既にやっておられた——。

増沢　でも僕は、住宅は余り多くなかったですね。住宅ではその他に、PS板を使った、実験住宅というか試作住宅というか、そういう小さな住宅（★5）があるんですけど、それなんかは、ちょっと図面を描いたことがあるんですけどね。でも、レーモンド事務所ではちゃんとした住宅ってあまりやったことがないんですよ。

　その当時のレーモンド事務所の住宅は、ヒーレー邸とかいろいろあるんですけど、プランが非常にオーソドックスなんですよ。断面は和小屋で、寄せ棟というんですかね。いわゆる外国風の家なんですけどね。

　僕は、目黒のセントアンセルモチャーチ（★6）とか八幡製鉄の体育館とか、比較的規模の大きいものをやっていたんです。規模が大きいものをやるのに1年とか2年とかかるんですよ。だから、あんまり他の仕事に手を出せないんですよね。そうするとやっぱり、大きな仕事以外にも、自宅なんかつくる時にね、自分を試してみよう、なんて気持ちになるわけですよ。

内田　事務所では、レーモンドがある程度スケッチを描いて、それを所員がまとめていく、というようなやり方だったんですか。

増沢　一般の仕事はそうですね。でもそういう場合と、アメリカの事務所からスケッチが来る場合があるんですよね。おやじは、どっちかというと図面を描いた人だと思うけど、自分のスケッチは、こうだよって言って、そのまま拡大してできるようなスケッチは、あんまりくれなかったですね。製図用紙の端くれに、こう、ちょこちょこって描くんですよね。それを所員に渡すんですけど、間違って無くしてしまったりするとあとで困るんです（笑）。

★2　一九四九年竣工。東京・千代田区。
★3　一九五二年竣工。東京・赤坂。
★4　一九五二年竣工。東京・目黒。
★5　P・Sプレファブ住宅（一九五三年）。
★6　一九五四年竣工。東京・目黒。

◀A・レーモンド「麻布の家」。

だいわはうすこうぎょう 1955年創業。'59年プレファブ住宅（工業化住宅）の原点となる「ミゼットハウス」を世に送り出した。'62年には住宅ローンの先駆けとなる「住宅サービスプラン」を住友銀行（現：三井住友銀行）とともに開発。住宅メーカーのパイオニアとして、時代をリードする新たな商品を次々と開発している。

ミゼットハウス

［1959年］

大和ハウス工業

構造：軽量鉄骨造平屋　施工：大和ハウス工業

プレファブ住宅の原点

戦後のベビーブームを受け、離れに子どもたちの勉強部屋をつくるという発想から「ミゼットハウス」は生まれた。

1959年発売のミゼット（Midger）は"小人"または、"超小型"の意。3坪の敷地に技術者4人、3時間あれば建てられるプレファブ住宅。「M-59-1型」（約3坪、6畳）は11万8000円、「M-59-2型」（約2.25坪、4.5畳）は10万8000円。土台にコンクリートブロック約40個を敷き、軽量鉄骨の柱を建て、この柱をハードボードでつなぐ。屋根はハードボードを亜鉛引き鉄板パネルで裏打ちしたもの。天井も床板もパネル。3坪以下の場合には確認申請が不要［※］である。

当時、国民の間では「テレビ、洗濯機、冷蔵庫」に代わり「国民車、ルームクーラー、ミゼットハウス」が新しい三種の神器となった。全国27カ所のデパートで展示即売し、"デパートで売られる建築商品"のキャッチフレーズも登場。2カ月で約800戸を売り上げた。住宅が「請負」ではなく「商品」となったことは、住宅建設の常識を覆したといえる。

「ミゼットハウス」はその後、トイレや台所もつけたいという顧客の要望に応え、本格的なプレファブ住宅へと進化していく。

平面図 1:100

立面図 1:100

「ミゼットハウス」の発売から8年後、「建築知識」1967年12月号の特集「プレハブアナリシス」で代表的なプレファブを紹介。当時、プレファブ住宅は多種多様で、'66年度の統計によれば、約80万戸建てられた住宅のうち4万戸（20戸に1戸）がプレファブだった。

※：防火・準防火地域以外での増築・改築・移転で延べ面積≦10㎡の場合に限る

写真：発売当初のミゼットハウス。「カタログ写真」の存在も商品化住宅を象徴する（提供：大和ハウス工業）

まえかわ・くにお［1905―1986］1928年東京帝国大学工学部建築学科を卒業したその足で渡仏、ル・コルビュジエのアトリエに学ぶ。帰国後レーモンド建築設計事務所に入所。'35年前川國男建築設計事務所を設立。日本にヨーロッパの近代建築を紹介した、日本モダニズムの旗手。門下に丹下健三、大高正人、木村俊彦ら。

晴海高層アパート

［1958年］

前川國男

構造：RC造10階建て　施工：清水建設

日本版ユニテ・ダビタシオン

前川がいなければ日本の風景は今とまったく違うものになっていただろう。

「晴海高層アパート」は日本住宅公団初の10階建て高層賃貸住宅で、日本の高層集合住宅の原点ともいえる作品。「プレモス」と並び、前川によるテクニカルアプローチの実践の1つ。コルビュジエの下で学んだ「最小限住宅」と「ユニテ・ダビタシオン」の理念を継承し、実践している。軟弱な埋立地という立地に対し、3層6住戸を単位とするメガストラクチャーを採用。また、公団として初めてエレベータを採用。3階ごとに停止させ、上下の階には階段でアクセスさせるスキップ形式としている。3階ごとにある通路の幅員は約2mで、人々の出会いの場として意図されている。各戸は、日本の農家の田の字形に通ずる平面で、玄関、食堂、台所が一体的に配置され、居室部と分節されている。洋風便器や浴室、ステンレス流し、取次ぎ電話などの最新の設備でも話題を集めた。前川は建築技術の近代化、耐震化、高温多湿な自然環境への適応などの問題に取り組み、日本独自の近代建築を生涯にわたって追求し続け、日本の近代建築に大きな影響を与えた。

浴室
浴室
台所
和室
便所
便所
押入
物置
物置
食堂兼多用室
和室
押入
玄関
バルコニー
1,800
1,800
1,250　1,800　2,400　680
6,130

住居の平面図 1:150

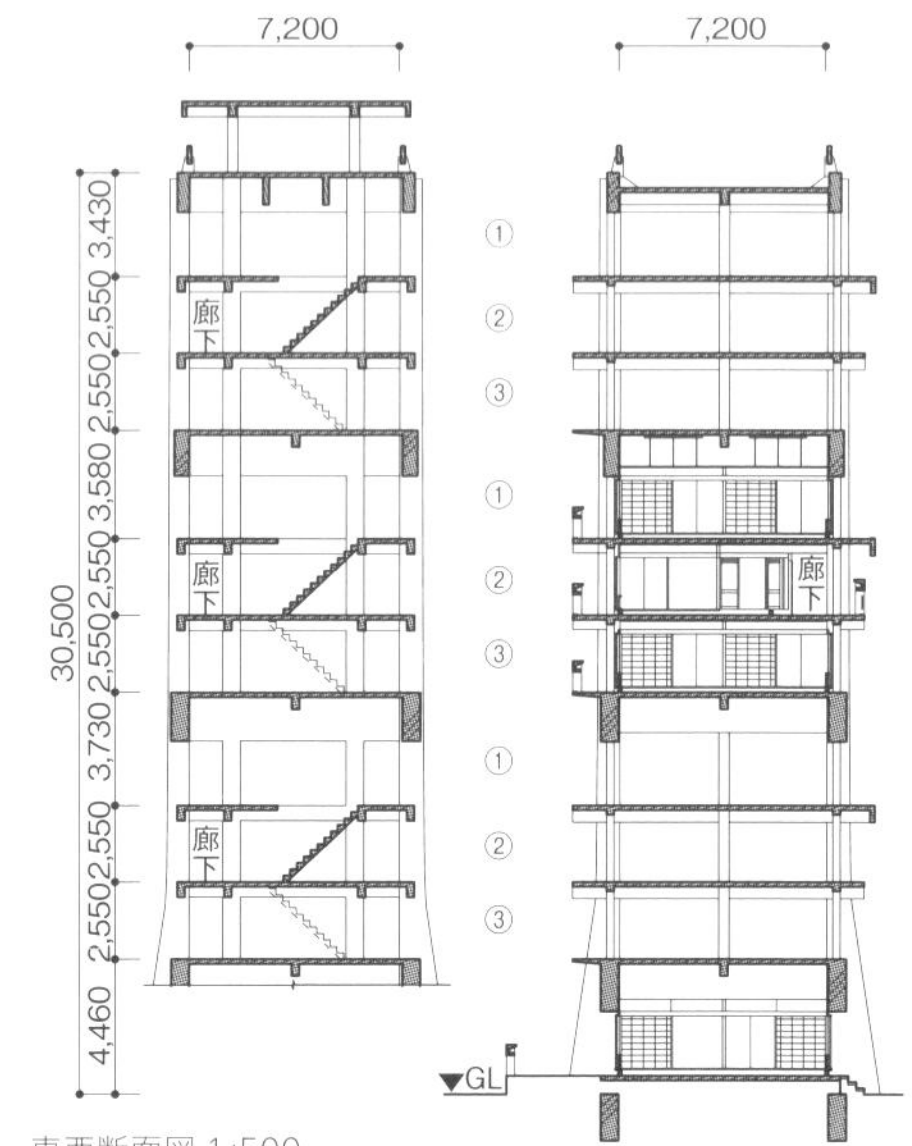

東西断面図 1:500

晴海高層アパートは、①非廊下階（上階）、②廊下階、③非廊下階（下階）の3階分を1セットとし、それらが3層重なることで成り立っている

写真上:3層6戸を1単位とするメガストラクチャー構造(提供:前川建築設計事務所、撮影:二川幸夫)
写真下:畳の大きさは、900×2,400㎜という長辺方向が通常よりも長い独自の寸法を採用(撮影:大川三雄)

1960年代

時代の総括

建築界の黄金期

都市型住宅と新技術

〝黄金の'60年代〟といわれる高度経済成長期は、土木・建築界にとって飛躍の年代となった。技術革新の時代であり、〝都市の時代〟の到来が高らかに謳い上げられた。住宅分野においては次のようなさまざまなテーマが展開された。(1)工業化と商品化、(2)新材料や新技術への取り組み、(3)都市と建築、(4)民家風意匠と新和風、(5)風土と住宅、(6)芸術としての住宅などである。

この時代の建築界を象徴するのは、都市そのものを計画・デザインしようと考えたメタボリズムの運動である。世界中から著名なデザイナーや建築家たちが集まった「世界デザイン会議」。それを機に誕生したメタボリズムのグループは一躍時代の寵児となった。彼らの先導格に当たる丹下健三の「東京計画1960」は都市の時代の幕開けにふさわしい計画案。メタボリズムの多くは計画案に終わったが、さまざまな集合形態や都市型住居の提案に影響を与えた。都市に住むことにこだわり、究極の狭小住宅を提案した**東孝光**の自邸「塔の家」（1966）はその象徴的存在。一方、コートハウスは、関西を拠点とした建築家による関西の伝統を生かした都市型住居の提案であった。

技術革新が叫ばれるなか、RC造と比較して建築分野への応用が遅れていた鉄に着目して一連の鉄骨造住宅に取り組んだ**広瀬鎌二**や、建築材料学の学者である**飯塚五郎蔵**も鉄骨や集成材への挑戦を試みた。両者の試みはともに新技術への取り組みだけでなく、プレファブリケーションを念頭においた工業化への先駆的な試みであるといえる。

都市化と民家

日本住宅公団が一連の郊外ニュータウンを建設するのもこの時期からである。全国的な都市化現象と並行して〝開発と保存〟が大きな課題として浮上する。一方、失われつつある風景への郷愁から

〝風土や民家〟に対する関心が高まってくる。写真家の二川幸夫は建築史家の伊藤ていじと組んで、急激に消滅しつつあった各地の民家を追い求めた。写真集『日本民家』は毎日出版文化賞を受賞、その書に寄せた伊藤の解説文は、名著『民家は生きてきた』としてまとめられた。大成建設設計部の**大熊喜英**も、日本人のテイストを重視した住まいとしての民家風意匠に取り組み、味わい深い作品を数多く残した。また、**吉田五十八**の新興数寄屋に対峙するかたちで登場したのが**白井晟一**の和風世界である。西欧のロマネスクを思わせる重厚な作風で知られる白井は、〝縄文的〟で力強い佇まいをもつ独自の和風意匠を追求していた。

〝小住宅ばんざい〟論争以降の建築家による住宅作品への取り組みに一石を投じた**篠原一男**は、日本的な美の追求から始まり「白の家」(1966)で1つの頂点を迎え、以後はより高次元の芸術性を求めて象徴空間へと移行していくことになる。〝近代生活〟や〝近代家族〟をテーマとして進んできた住宅設計の世界に、〝芸術性〟や〝空間性〟をテーマとする建築家が登場してきたのである。

「建築知識」
バックナンバーに見る
［建築］の歴史
1960年代
建築界の黄金期

本稿掲載作品 **建築にまつわる出来事**

'61年12月号「住宅における自動車車庫」

車があれば車庫がいる

自動車の普及に伴い需要が増した車庫の設計方法を解説。道路交通法が改正されて路上駐車が全面禁止になったため、マイカー族には自動車車庫が必須のものとなった❷

特集「住宅における自動車車庫」［12月号］

快適にテレビを見るのが難しい

当時、テレビ普及率が80％を突破した。高層建築物の増加に伴いテレビの共聴問題が顕在化していたため、ビルの共聴設備について取り上げている

特集「ビルにおけるテレビ共聴」［3月号］

新幹線ってなんですか

東京オリンピック開幕に関連した、開通前の新幹線の関連施設に関する記事。内容はもっぱら橋梁やトンネルなど土木分野だが、新幹線への関心の高さがうかがえる

連載「東京オリンピック施設探訪」［5月号］

1960年

- **「世界デザイン会議」を東京で開催**
  これを機に建築家の黒川紀章、菊竹清訓、槇文彦、大高正人らによってメタボリズム・グループが結成された
- **チリ地震津波**（建物被害4万6千棟）
- ◆広瀬鎌二「SH-30」
- ◆西澤文隆「正面のない家（N氏邸）」

1961年

- **建築基準法改正**
  特定街区制度の新設により、超高層ビルの建設が可能となった
- ◆飯塚五郎蔵「集成材ハウスU15、U19」

1962年

- **宅地造成等規制法施行**
  土砂崩れや宅地の崩壊などによる災害を防止するため、一定の区域内での造成を制限
- **新産業都市建設促進法施行**
  首都圏や関西圏に人口や産業が過度に集中することで都市と地方との経済格差が拡大し、自然災害や事故で都市機能に支障が生じることを防ぐ目的で制定
- ◆吉村順三「軽井沢の山荘」
- ◆大熊喜英「L型プランの和風住宅」

1963年

- **プレハブ建築協会発足**
- **建築基準法改正**
  31mの高さ制限の撤廃、容積地区制度の導入
- **新住宅市街地開発法施行**
  土地の収用を含む大規模な住宅団地の建設を目的に制定。住民生活に必要な施設以外の「特定業務地区」の設定や大学の誘致もできるようになった

新建材プラスチック

プラスチック建材とプラスチックを主材に用いた住宅を紹介。プラスチックという新建材と工業化住宅の親和性について語っている❶

特集「プラスチックス」［5月号］

コンクリートブロックの栄華

最近ではあまり見ることのないコンクリートブロックによる住宅の特集。不燃材料としてのコンクリートブロックに肯定的

特集「コンクリート・ブロック」［6月号］

夢と希望は空高く

それまでにはなかった夢と希望の高層集合住宅での生活を紹介。空高く住むことに新しい都市生活のあり方を見出している

記事「空高く住む楽しさ」［2月号］

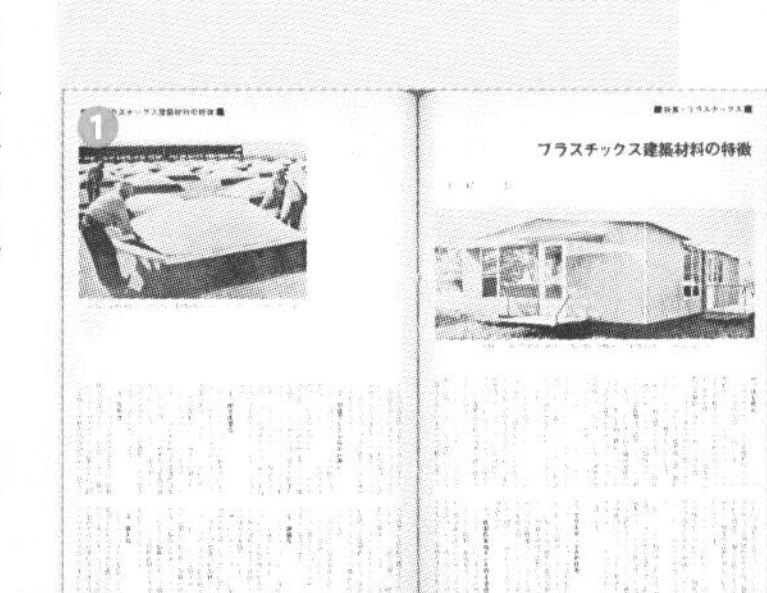

'60年5月号「プラスチックス」

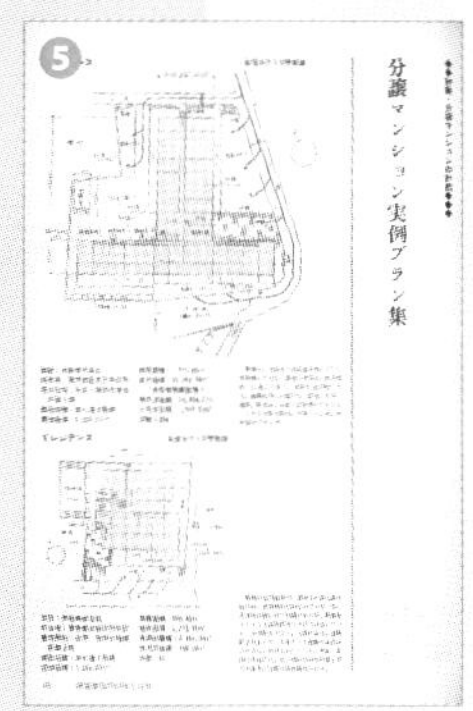

'69年5月号「分譲マンションの計画」

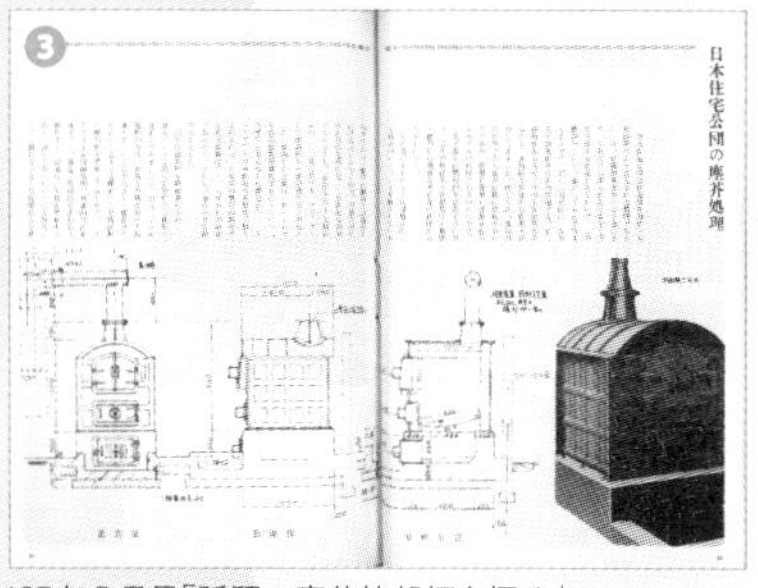

'65年3月号「話題の塵芥焼却炉を探る」

溢れてよいのは愛だけ

都市の発展とともに欠かせないごみの問題。団地などに必要な大型焼却炉を紹介。2年後には公害対策基本法が公布、施行される❸

記事「話題の塵芥焼却炉を探る」［1月号］

気密性をもつ住宅へ

急速に普及したアルミサッシを特集。アルミサッシのある和室に違和感を感じる著者のコメントが時代を感じさせる

特集「住宅とサッシ」［4月号］

猫も杓子もマンション

カラスの鳴かない日はあっても、新聞にマンション広告が出ない日はない。第2のマンションブーム❺

特集「分譲マンションの計画」［5月号］

1964年

- 消防法改正（高層建築物に対応）
- 東京オリンピック開催
- 新潟地震（最大震度5、M7.5）

1965年

- 日本建築センター設立
- 台風23号、24号襲来、全国の建物被害40万棟
- 白井晟一「呉羽の舎」

1966年

- JAS集成材の規格化
- 住宅建設計画法施行
  高度経済成長期の大都市への人口集中による住宅不足を解消するために、住宅の建設を強力に推し進める目的で制定。この法律にもとづいて住宅建設5カ年計画が策定。2006年の住生活基本法の成立をもって廃止
- 古都保存法施行
- 東孝光「塔の家」
- 篠原一男「白の家」

1967年

- 公害対策基本法施行
- 日本建設業団体連合会設立
- 吉田五十八「猪股邸」

1968年

- 日本で最初の超高層「霞が関ビル」が竣工
- 十勝沖地震（最大震度6、M8.2）
- 第2次マンションブーム
- 上遠野徹「札幌の家」（上遠野邸）

1969年

- 都市計画法施行
- 都市再開発法施行
- JAS構造用合板の規格化

木造住宅はやりたくない？

木造住宅に携わる設計者と関連業者合わせて10名の意見を掲載。社会的な問題でもあり伝統的技術・技能の問題でもある木造住宅について、その関心の深さがうかがえる

特集「木造住宅はもうかるか？」［5月号］

商品化といえばプレファブ

商品化住宅時代を象徴するプレファブ住宅。メーカー各社の製品をディテール、部品、寸法、規格、構成材などで比較❹

特集「プレファブリケーション」［12月号］

'67年12月号「プレファブリケーション」

ひろせ・けんじ［1922―2012］1942年武蔵高等工科学校建築科卒業。戦後、村田政真設計事務所に入所。'52年に広瀬鎌二建築技術研究所を開設。'66年から'93年まで武蔵工業大学建築学科教授を務めた。'50～'60年代にかけて「SHシリーズ」で戦後の日本における住宅の工業化を試みた。いつきのみ歴史体験館（2000）など、晩年には木造の作品が多い。

SH-30

［1960年］

広瀬鎌二

鉄骨造住宅の到達点

「近代工業が生産する鉄・ガラス・レンガなどの材料それぞれがもつ力学的特性を十分に活用して、新しい住居を創造したい」―広瀬のこの思いは、鉄骨造小住宅の連作（SHシリーズ）という実験的試みへと彼を駆り立てた。1953年に発表された自邸SH-1に始まる「SHシリーズ」は、木構造の鉄骨化という路線の上で、多くの人に迎え入れられた。「SH-30」は、鉄骨造住宅の到達点ともいうべき作品。

当初のピン構造からラーメン構造へと変化し、構造体から間仕切壁が独立し、平面はより自由に展開された。さらに「SH-65」（1965）では鉄骨造のスペース・フレームによって〝生活空間をユニット化〟することを追求し、「SH-70」（1970）にたどり着く。これらの試行を重ねることによって、広瀬は日本の現代建築の可能性を切り拓いた。

視界の先には住宅の工場生産もとらえていたが、構成方法や生産システムに関する広瀬の提案は、いずれも住宅産業界には受け入れられなかった。15年間の創作活動の後、教育者の道へと転身した。

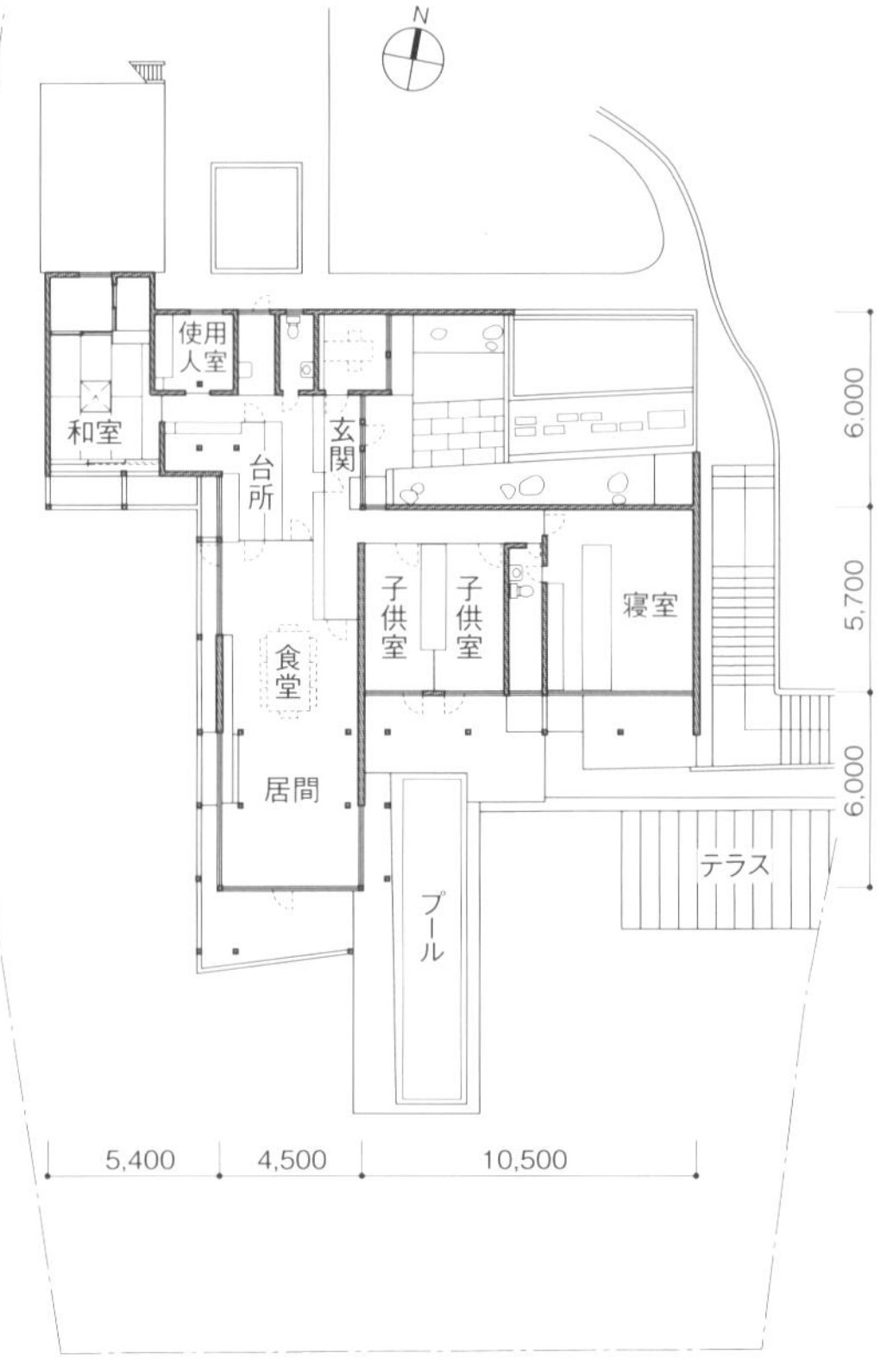

平面図 1:400

「建築知識」1989年1月号の特集「住宅の［'50年代］」で広瀬氏は、池辺陽氏、増沢洵氏、清家清氏とともに誌面に登場。4人の作家に時代を読む、という趣旨で行われたインタビューに答え、なぜ戦後に鉄骨造住宅を目指したのか、「SH-30」という代表作はどのような試行を経て生まれたのかなどについて、縦横無尽に語っている。氏が鉄骨を選んだのは、「設計過程の一切を創造に頼るほかないという環境に身を置きたかったから」だという。

（撮影：平山忠治）

写真上：南側から見た全景。細いピン柱は、多くは室内に露出するが、積極的に空間デザインに取り入れることで新しい空間を生み出した。細い柱と梁のシンプルな構成が、プロポーションのよさを際立たせている

写真下：構造は鉄骨のみで構成され、家具・照明器具などすべて広瀬のデザインで統一されている

（撮影：平山忠治）

にしざわ・ふみたか［1915－1986］1940年東京帝国大学（現・東京大学）工学部建築学科卒業、同年坂倉準三建築研究所に入所。坂倉準三の没後、坂倉建築研究所の代表として活躍。日本の伝統的住まいである寝殿造、書院造などにも関心を示し、室内と室外の緊密な関係を築く手法をコートハウスなどで実践した。

正面のない家

（N氏邸）

［1960年］

西澤文隆

構造　RC造+木造平屋　施工　大進建設

コートハウスの先駆

軒を接して建て込んでいる京都の町家はいくつかの坪庭をもち、そこから採光・通風などを得ている。西澤のコートハウスのルーツはこのような伝統建築にある。

コートハウスは、敷地の周囲を閉鎖的な壁で完全に囲い、内部に庭を残す形式。私的空間を確保しつつ、群構成として社会へと広がる都市型住居の、建築的な可能性をもつシステムとして考案された。西澤を代表とする坂倉建築研究所大阪事務所の、こうした一連の同形式の住宅は「正面のない家」と呼ばれることになった。その嚆矢が「N氏邸」である。南北に細長い敷地は、東西に3スパン、南北に5.5スパンに区切られ、部屋と庭とが市松状に配置された。住まい部分はフラットに近い勾配屋根、中庭の上にはパーゴラが架かり、居間や寝室などには必要に応じてハイサイドライトが設けられている。N氏邸は自由な空間を構造化する手法の重要な提案となり、コートハウスの定型として、密集地の都市型住宅を考えるうえで大きな影響を与えた。

庭園の研究でも名高かった西澤は、中庭と室内空間とを流動的な一体感をもって演出した。

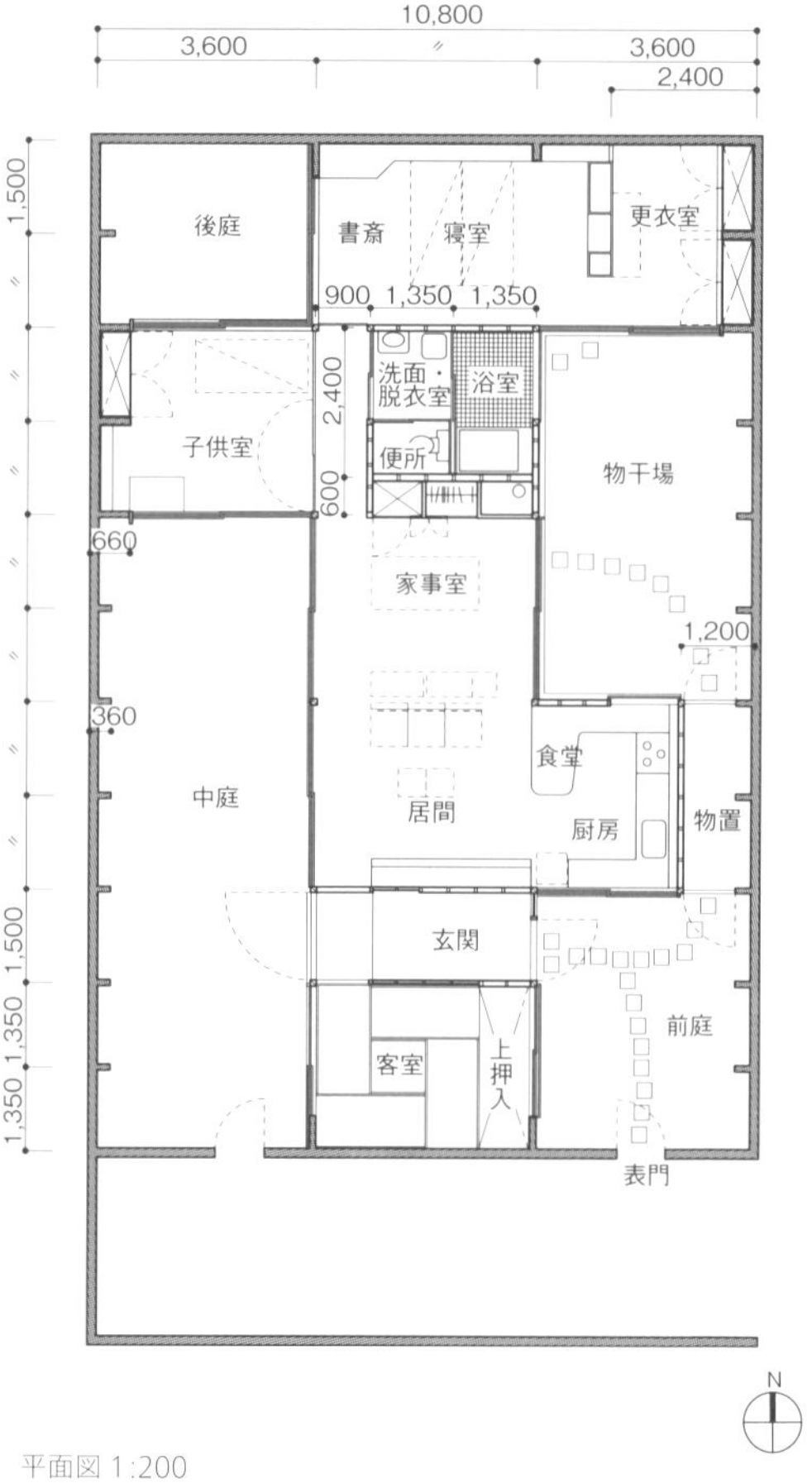

平面図 1:200

「建築知識」1960年12月号の特集「住宅の環境」の巻頭で紹介されている。当時の誌面で西澤氏は、今後土地の取得が困難になり、住宅が建て込んで借景を楽しむこともなくなるような風景に変わっていくとき、このような住宅が増えるのではないかと考察していた。

写真上：敷地全体を住空間とするため、周囲をコンクリートの壁で囲う（国（文化庁国立近現代建築資料館）所蔵）
下：庭には梁との連続を意識させるパーゴラが設けられた（国（文化庁国立近現代建築資料館）所蔵、撮影：多比良敏雄）

記事	特集	掲載号
「正面のない家」 解説：西澤文隆	住宅の環境	1960年／12月号

敷地面積　176 m²
建築面積　80 m²
構造　周囲壁…鉄筋コンクリート打放し
主屋主体…木造

玄関。1の庭と3の庭がここでつながる

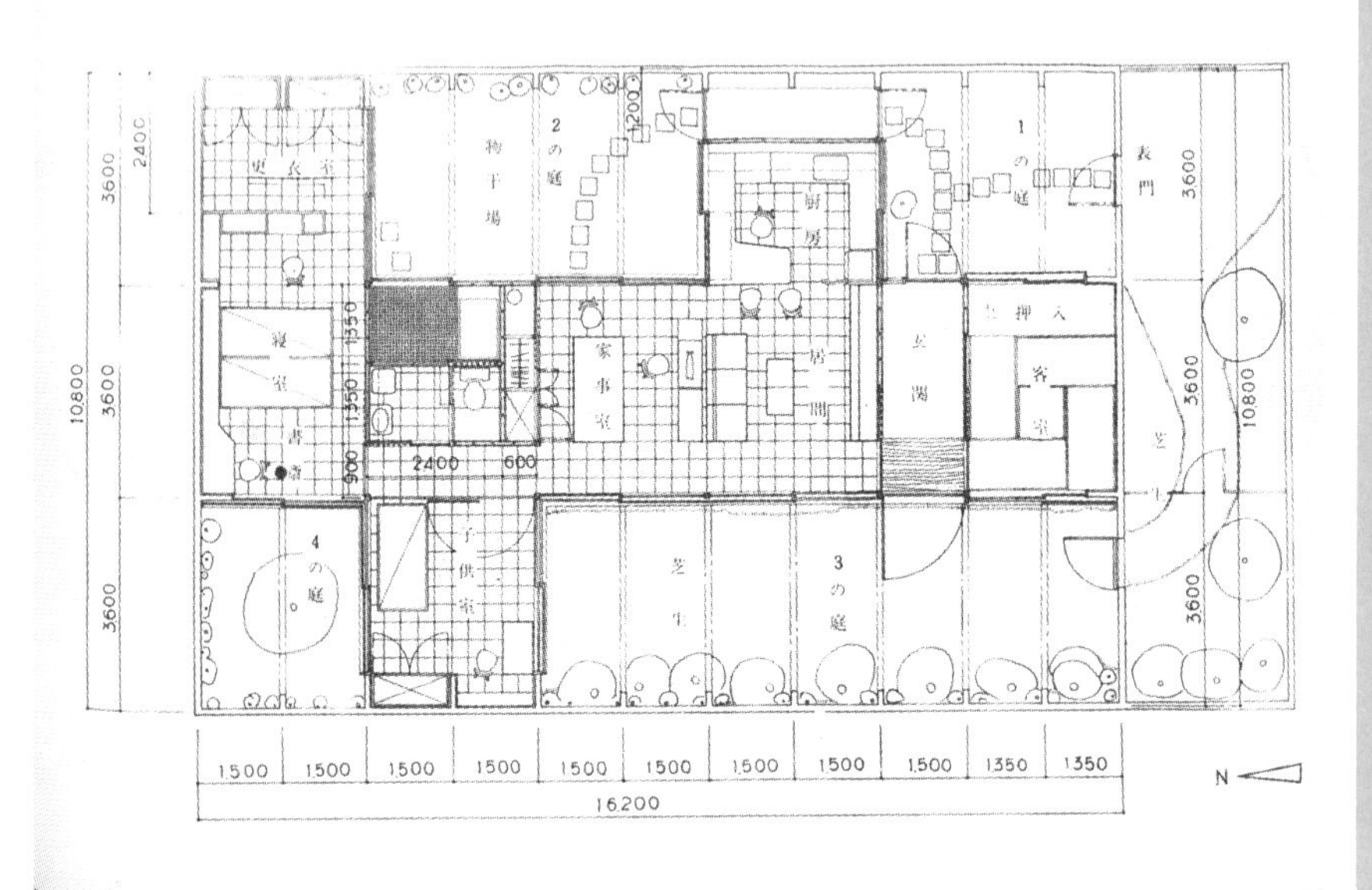

1960年に竣工した「正面のない家」は西澤文隆氏を代表とした坂倉準三建築研究所大阪事務所によるコートハウスの第1作。都市型住宅として優れた典型となった平面、住宅を塀で囲むことでしか快適な住環境を確保できないといった、当時の住宅をとりまく環境問題を色濃く反映している。

3 庭から東側居間を眺める。向って右側が居間応接、その奥厨房食堂、左側は仕事場

設計要旨

南北16m、東西11m計176m²という南北に長い狭い敷地に、如何に快適な24坪許りの住いを構成するかが設計の課題である。

ここは海に程近い香櫨園の住宅地区であるが、南北並びに西に2階建の家が建て込んでおり、もしここに施主の最初考えておられたように、敷地が狭いので2階建の住宅を建てるとすれば、周辺の家とは2階の窓を開ければ目と鼻の先に互に顔を突き合わさねばならぬという悲惨事が予想されるし、更に24坪を2階建てにするとすれば、12坪の細い小さなマッチ箱のような家が生まれる事になる。

上記二つの惨事をさける為、平屋建てを採用し、庭を楽しみたいという願望を満たす為に、敷地全体を東西方向を3分、南北方向を7分し、これらのグリッドの中に、部屋と庭をはめ込んで行った。周囲には鉄筋コンクリートの高い塀をめぐらし、この塀を住居の外壁に利用しながら、中に軽い木造の屋根と壁をつけて行くという方法である。

各室には必ず少くとも二つの庭に面し、どの部屋も風が吹き通るようになっている。天井照明は全面的に廃し、各欄間部分に照明を仕込んだ。奥さんの仕事場のみスポットを採用している。

どの庭も室内の延長として空間的に使いこなせるよう、戸外へ梁を伸し（この部分は腐蝕の問題があるので、内部構造とは全く切り離して取り替えが出来るようになっている）その上にパーゴラを架け渡し中庭上の天井とし、敷地全体を2種の天井で掩い尽すことにした。

建設途中で北側に3mの巾で東西に亘る余地が得られたので、この敷地を如何に取扱うかが問題になったが、議論の結果、建物を塀共北へ移し、南に空地を造り、ここはむしろパーゴラのない外庭の形をつけて柔か味をつけた。

パーゴラは隣家の2階から直視される事を防ぎ、周壁とこのパーゴラにバラやぶどう、蔦をからませる事により、夏は深い繁みを添え、冬は暖い日ざしを部屋の奥まで浸透させる。

今後ますます土地の取得が困難になり、せっかく借景を楽しんでいても住宅が建て込み、みるみる無惨な風景に変って行くとき、ちょうど市街地住宅のようなこのような住宅が増えて行くのであるまいか。

いいづか・ごろぞう［1921―1993］1944年早稲田大学理工学部建築学科卒業。同大大学院を経て、'66年横浜国立大学教授に就任。プラスチック建材、集成材などの研究開発に貢献した。主な著作に『住宅デザインと木構造』（丸善）、『デザインの具象―材料・構法』（エス・ビー・エス出版）、『建築語源考―技術はコトバなり』（鹿島出版会）など。

集成材ハウス U15（15坪型）・U19（19坪型）

［1961年］

飯塚五郎蔵

新材料を取り入れた住宅の先駆

飯塚は横浜国立大学の構法・材料学の教授。早稲田大学時代は十代田三郎研究室で南方木材の研究を行い、1951年の米国留学を機に集成材の研究に携わった。

軽量鉄骨プレファブの自邸では、ピロティ形式やパネルヒーティングの床暖房を採用。集成木構造の研究は学位論文としてまとめられ、その成果は建築学会の木構造設計規準に取り入れられた。建物名にもなっているU形集成材とは弓を深く絞ったかたちの集成材のことで（左図）、小屋梁、柱、床梁を一体として、風や地震の水平力に耐えるように計画したもの。梁間5.4mに対して、U形集成材の断面寸法は一様に90×150㎜。この架構を2.7mおきに並べ、屋根、壁、床それぞれの単位パネルをボルトなどの金物によって取り付ける。内部は浴室とトイレ以外、間取りは自由。三越デパートの屋上で組立実演を行って話題を集めた。

新建材を用いた住宅を数多く手掛け、建材開発の分野で今日につながる研究を残した。

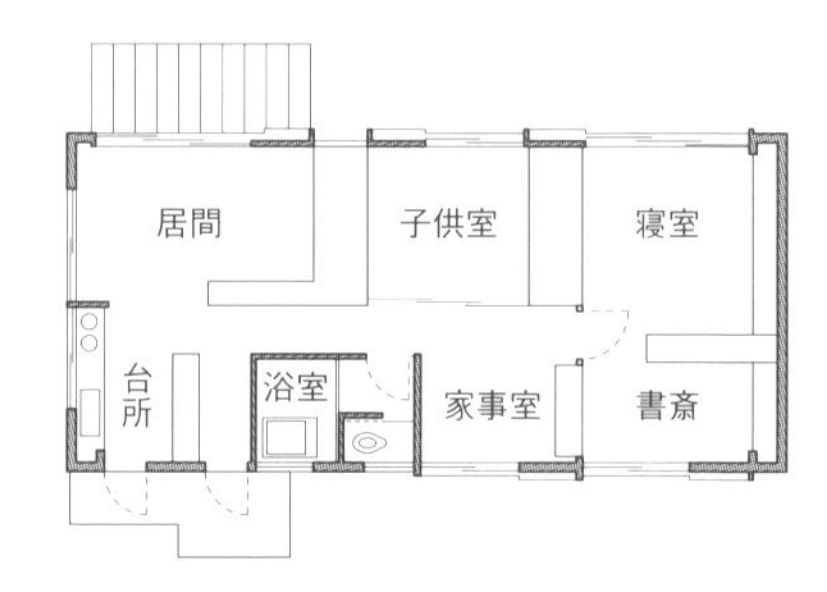

U15平面図 1:250

U19平面図 1:250

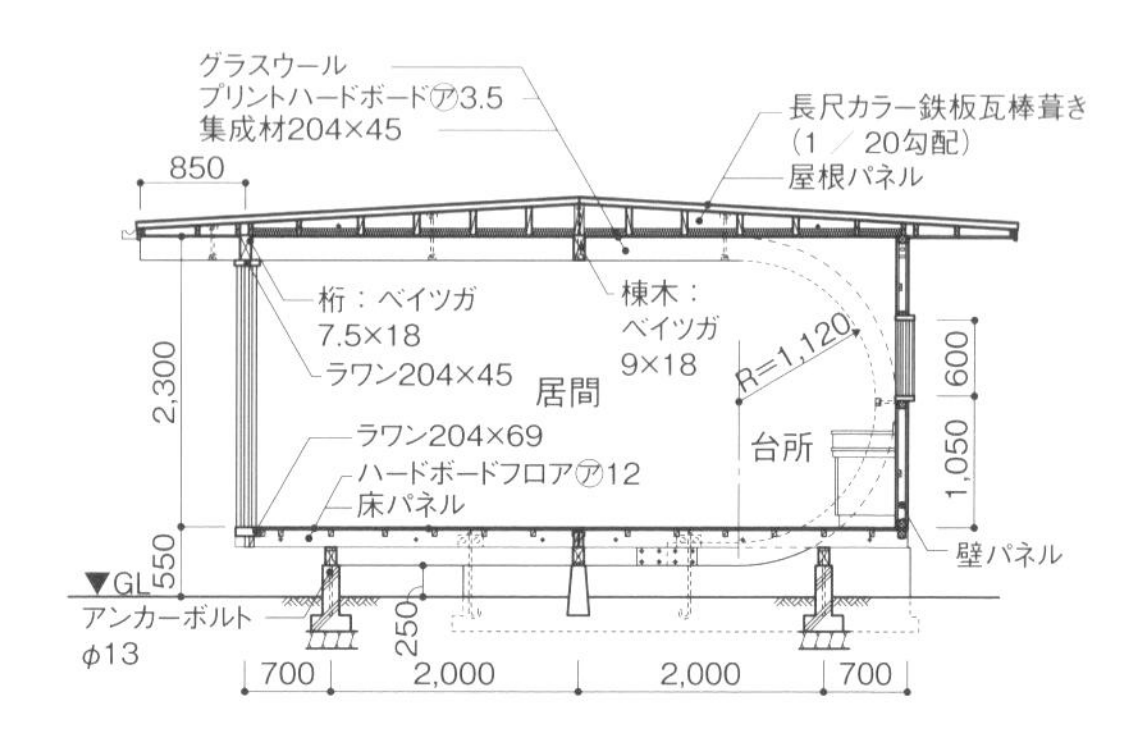

断面詳細図 1:120

「建築知識」1963年1月号の特集「読者が選ぶ作家と作品（第4回）・飯塚五郎蔵と新材料」では、構造的な面で使える新材料をテーマに飯塚氏の作品を掲載。高床式の軽量鉄骨造である同氏の自邸は、それまでの氏の新材料の研究成果を存分に反映したものだった。

写真：集成材を用いたプレファブ住宅。工業化住宅の時代に木材によるプレファブ住宅を試みた
（提供：篠田建設）

しらい・せいいち［1905―1983］1928年京都高等工芸学校（現・京都工芸繊維大学）図案科を卒業後、ハイデルベルク大学でカール・ヤスパースに師事。ベルリン大学を経て帰国後、設計活動を開始。モダニズム建築の主流に迎合せず、孤高の建築家と呼ばれた。主な作品に「原爆堂計画」（'55）。「親和銀行本店」で'68年度日本建築学会賞を受賞。

呉羽の舎（くれはのいえ）

［1965年］

白井晟一

構造　木造平屋　施工　直営

〝和モダン〟の草分け

白井は戦後、秋田県の「秋ノ宮村役場」（1951）や群馬県の「松井田町役場」（1956）など、地方の風土文化に根ざした建築で注目を浴びた。

「呉羽の舎」は富山県西郊の呉羽山、南に傾斜した1300坪のなだらかな敷地のなかに、クリを主材として仕上げられた重厚な佇まいの門屋、主屋、書屋の3つの建物が建つ。書屋は古美術のコレクターである建築主の収蔵庫兼鑑賞の場としてつくられたもので、八角形の柱や瓦を敷き詰めた床などが、禅宗寺院のような緊張感を醸し出す。

竣工時に『木造の詳細3・住宅設計編』（彰国社）として、平・立・断面図はもとより、矩計図、軸組図、展開図から各種伏図、枠廻りや建具の詳細まで、すべての図面が1冊にまとめられ、紹介された。この本によって、白井の和風建築の存在が建築界に知れ渡った。

白井は、吉田五十八の作風に対峙するものとして、早くから〝白井和風〟ともいうべき独自の世界を追求していた。精緻なディテールと素材感、奥行きと陰影に富む独特な空間が時流とは別の可能性を切り開いた。

地袋　床間　物置　戸棚　畳座　押入　炉　倉庫　玄関　広間
910　5,910　8,190　1,360　3,640　2,730　5,460　606

書屋平面図（案）1:250

屋根：ルーフィング下地 銅板張り
野地板㋐18
インシュレーションドリゾール㋐90
大垂木 せい210（軒先は120おとす）
1,515（5尺）
100　22
R2,120
あき3
棟木固定金物：φ22丸細 見え掛かり部分 真鍮パイプ巻き
天井：ラスボード下地 土塗り または 砂入りスプレッド サテン吹付け（壁同仕上げ）
中央棟持柱：八角形 外径242
FIXガラス グレーペーン磨き㋐10
1,150　1,940　2,180　2,970
上り框：幅112×せい121 面4.5
109　136　610　360
柱下：銅板敷込み
▼1FL　▼GL
910
土間：敷瓦張り
シンダーコンクリート㋐90
アスファルト防水層（ルーフィング3層）
下地コンクリート㋐90

書屋断面詳細図（案）1:100

白井晟一についてコメントを求められた際、真っ先に建築観について「とにかく『もの』を謙虚に自分の身内のものとする。そこから人間をメジャーとした建築創作と物との絶対な関係をしっかりつかむということだ」（「SPACE MODULA-TOUR」60号 1982年1月「建築におもう」より引用）と語っていたことが思い出された。

白井原太（白井晟一の孫、白井晟一建築研究所〈アトリエNo.5〉）

写真：富山という雪国に建てられているため、屋根の勾配、柱の太さなど、
積雪に対応した意匠としている（Photo: ©Osamu Murai）

あずま・たかみつ［1933―2015］1957年大阪大学工学部構築工学科卒業後、郵政省建築部に入省。'60年坂倉準三建築研究所に入所、'67年に独立。'68年東孝光建築研究所を設立（'85年東孝光+東 環境・建築研究所に改称）。'85年大阪大学工学部環境工学科の教授に就任。'97年から大阪大学名誉教授。また、'97-2003年までは千葉工業大学工業デザイン学科教授。狭小住宅の先駆である「塔の家」をはじめ、都市型住宅を数多く手掛けた。

塔の家

［1966年］

東 孝光

構造　RC造地下1階・地上5階建て　施工　長野建設東京支店

都市に住む、狭小住宅の先駆

仕事で疲れた体を満員電車に揺られながら、まっすぐに遠くの家へと帰っていく。東はそんな郊外マイホーム主義に一石を投じた。

どうしても都心に住みたい。幼い頃から都会暮らしを続けてきた東のそんな想いを体現したのが、「塔の家」だ。都市型狭小住宅の先駆的作品で、世界的にも知られる。

道路の拡幅で残ったわずか6.2坪の敷地に建つ、地上5階、地下1階の建物に親子3人が住んだ。1階は玄関と車庫、地下は物置と書庫、2階は居間、3階は居間の吹抜けと浴室・トイレ、4階は寝室、5階は子供室とテラス。内外ともにコンクリート打放しで、各部屋が階段の踊場のようにとりつく。ドアは玄関に1つだけの立体型ワンルームで、吹抜けや開口部の巧みな配置によって、内部にあっても四季折々の光や風を感じ取れる。

都心に暮らすことのよさは一般にも徐々に浸透してきた。東のつくる都市型住宅は住まいに対する考え方を一新し、以降の都市型住宅の設計に新たな指針を与えた。

5階平面図 1:200

2階平面図 1:200

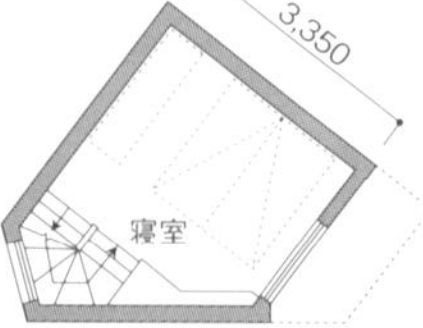

4階平面図 1:200

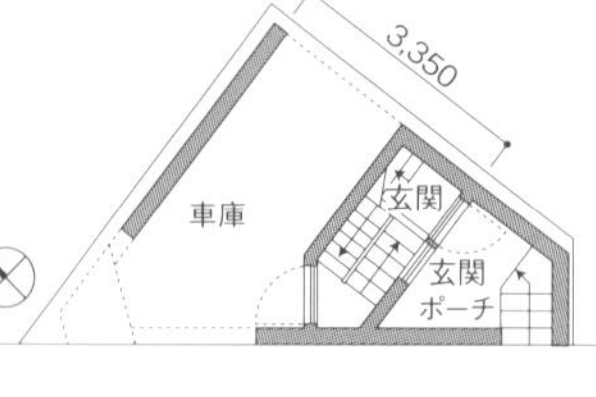

1階平面図 1:200

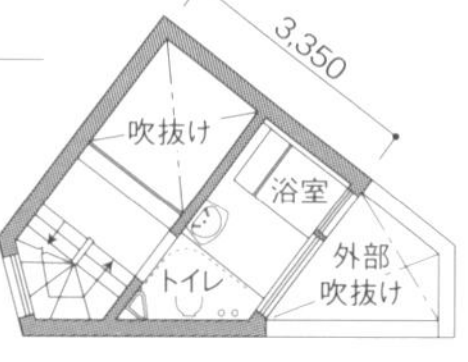

3階平面図 1:200

地下1階平面図 1:200

内部に扉のない「塔の家」ですが、昔ながらの生活に似ています。気配はするけれど同じ空間にいるわけではない、音が聞こえるけれど姿は見えない。障子や襖の代わりに階が重層になっていることで、同じような距離感があります。それは、親子の距離の取り方に自然にルールをつくってくれていました。

東利恵（東孝光・長女、東 環境・建築研究所）

写真上：1段高くなった玄関ポーチに設けられた囲い壁によって、都市住宅でありながらも都市の喧騒を感じさせない工夫が凝らされている
写真下：3階踊場から下を見る。吹抜けを設けることで、狭小ながらも圧迫感のない住空間が生まれる
（提供[上]：東 環境・建築事務所／撮影[下]：Nacasa & Partners Inc.）

しのはら・かずお[1925―2006]1947年東京物理学校(現・東京理科大学)卒業。'53年東京工業大学建築学科卒業。在学中は清家清に師事。プロフェッサーアーキテクトとして、住宅設計を中心に活動し、それまでにはなかった日本独自の空間構成を見出した。「『未完の家』以降の一連の住宅」で'72年度日本建築学会賞を受賞。主な作品に「から傘の家」('61)、「上原通りの住宅」('76)など。

白の家

［1966年］

篠原一男

構造：木造2階建て

芸術としての住まい

清家門下の逸材として注目されてきた篠原の初期の代表作。方形の瓦屋根を戴く外観は、天井高3.7mというスケール感ともあわさり、寺院のような佇まいを見せる。内部はスギ磨き丸太の柱とスギ荒床の床で構成、外装と内装の基調を白壁に限定したことが名前の由来となった。

日本の伝統に軸足をおいた設計を手掛てきた篠原が辿りついた〝抽象化された日本〟の建築空間だった。

「伝統は出発点であり得ても、回帰点ではない」という考えを抱いていた篠原は、伝統的空間と抽象的空間という2つの関心を次第に脱し、抽象空間への志向を強めることになる。「白の家」はその1つの転換点ともなった作品で、これ以後は抽象的空間へと傾倒してゆく。都市計画道路が走ることから、2008年に別の敷地へ移築された。

住宅に生産性が求められていた時代が終焉を迎えつつあったころ、篠原は「住宅は芸術である」と述べた。日本の伝統を軸として抽象化された空間構成は、'70年代以降の住宅建築デザインに大きな影響を与えた。

10,200
6,500　3,700
書斎
10,200

2階平面図 1:200

1階平面図 1:200

写真上：スギ磨き丸太の柱が、正方形平面の中央に立てられている
写真下：10m四方の正方形の平面上に、軒の出1.5mという方形の瓦屋根を戴く。外壁には白い漆喰が塗られている
photo:©Osamu Murai

よしだ・いそや［1894—1974］1923年東京美術学校（現・東京藝術大学）建築科卒業後、建築事務所を設立。数寄屋造りの近代化に専念し、直線を生かした単純な構成を特色とする「現代数寄屋」と呼ばれる様式を創始、戦後の和風建築に多大な影響を与えた。'64年文化勲章を受章。吉田茂、岸信介、梅原龍三郎、川合玉堂など数多くの著名人の家屋も設計した。

猪股邸（いのまたてい）

［1967年］

吉田五十八

構造：木造平屋　施工：水沢工務店／丸富工務店

吉田流数寄屋

吉田は日本建築の近代化に最も貢献した人物の1人だ。日本人にしかつくれない建築として、当時は過去の建築様式でしかなかった数寄屋造りの近代化を試みた。「猪股邸」は吉田流数寄屋、新興数寄屋の戦後期を代表する作品であり、木製サッシを使用した最後の作品となった。瀟洒（しょうしゃ）な門、高さを抑えた屋根、客人を迎え入れるための絶妙な外構計画とアプローチ、庭と建物を一体化するための開口廻りのさまざまな工夫、最新設備を組み入れた和室など、見るべきものは多い（その詳細は「数寄屋造りの詳細 -吉田五十八研究-」（住宅建築別冊17、1985年）に紹介されている）。

古くから伝わる日本家屋の構法であった真壁造から脱し、大壁を数寄屋に取り入れたことで、日本建築は構法の縛りから離脱し、仕上げの自由を手に入れた。吉田の与えた影響は、現代の一般住宅の障子などにも見ることができる。

なお、「猪股邸」は現在、東京・世田谷区成城の閑静な住宅地に、広大な和風庭園と併せて保存され、一般に公開されている。また、同じく吉田が手がけた御殿場の「東山旧岸（信介）邸」（1969）も一般公開されている。

全体平面図 1:1,000

茶室
水屋
書斎
車庫
付属屋
次の間
浴室
脱衣室
納戸
夫人室
内玄関
食堂
厨房
多用室
居間
女中室
女中室
ホール
玄関
茶室
次の間

平面図 1:500

「建築知識」1962年7月号の特集「読者が選ぶ作家と作品（第1回）・吉田五十八の近代数寄屋選」では、吉田作品の写真を多数掲載。料亭の棚から中村勘三郎邸の廊下窓の詳細まで、吉田氏の美しい意匠を十二分に楽しめる。

写真：武家屋敷の趣がある数寄屋造りの建物。庭にはアカマツやウメなど多くの樹木や、スギゴケが植えられ、水路や園路も設けられた回遊式の日本庭園となっている（提供：世田谷トラストまちづくり）

吉田五十八

——その人と作品——

谷口吉郎

1962年7月号「読者が選ぶ作家と作品① 吉田五十八の近代数寄屋選」より

かとの・てつ［1924－2009］1943年福井工業高等学校卒業。竹中工務店勤務を経て、'71年上遠野建築事務所を設立。竹中工務店時代、アントニン・レーモンドの設計した札幌聖ミカエル教会の施工を担当。一般住宅を中心に、北方の気候・風土に合った建築を手掛けた。

札幌の家（上遠野邸）

［1968年］

上遠野徹

構造：鉄骨造平屋　施工：三上建設

風土とモダニズムの融合

上遠野は生涯を通して、「寒冷地の住宅はどうあるべきか」というテーマで住宅設計に取り組んだ。

「札幌の家」は、積雪寒冷地に建つモダニズム建築の実験場としてつくられた自邸兼事務所。現場溶接で組み立てたコルテン鋼の鉄骨フレームを地上から浮かせたデザインは、ミースの「ファンズワース邸」を彷彿させるが、上遠野自身は「桂離宮」と語る。

レンガは江別市野幌の〝野幌煉瓦〟を使用、焼過レンガと鉄骨との対比が美しい。コンクリートブロック積みの壁に100㎜厚の発泡スチロールを断熱材に使い、レンガ積みで仕上げた。サッシはペアガラス、太鼓張りした複層の障子を使い、床は石油を熱源とする温水を配管して、床暖房としている。平面はコアだけをコンクリートブロックとし、間仕切パネルは取り外して自由に動かすことができる。

この住宅には積雪寒冷地で必要とされる技術の基本がすべて盛り込まれている。厳しい自然環境のなか、新しい技術や工夫を凝らし魅力ある空間を提案した姿勢が高く評価され、のちの多くの設計者に影響を与えた。

平面図 1:400

「建築知識」1987年1月号の特集「北国に学ぶ［暖かい住宅］」では、上遠野氏の仕事とインタビューを掲載している。そのなかで氏は、暖かく快適な住空間をつくりだす設計手法を詳細に語った。カラー写真で見る「上遠野邸」は、そのレンガ塀の美しさでも多くの読者を魅了した。

写真：北海道のモダニズムを代表する作品。コルテン鋼の骨組の間にレンガ壁とペアガラス入りのサッシ（コルテン鋼製）をはめ込んで外皮を覆う。コルテン鋼の錆び色と赤レンガのテクスチュアは、雪景色にも、鮮やかで新緑にもよく映える
（提供：上遠野建築事務所、撮影：平山和充）

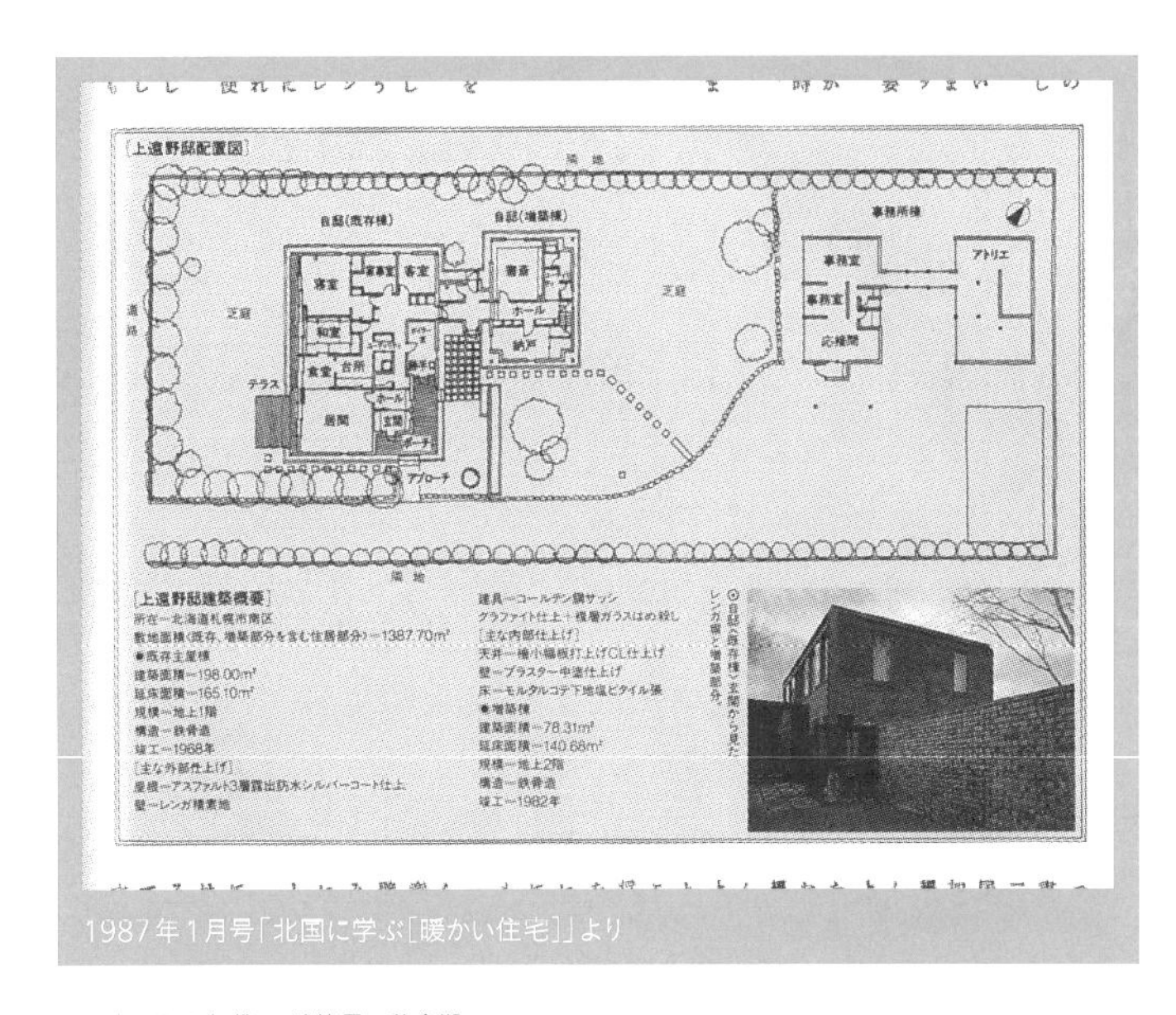

［上遠野邸配置図］

［上遠野邸建築概要］
所在─北海道札幌市南区
敷地面積（既存、増築部分を含む住居部分）─1387.70m²
●既存主屋棟
建築面積─198.00m²
延床面積─165.10m²
規模─地上1階
構造─鉄骨造
竣工─1968年
［主な外部仕上げ］
屋根─アスファルト3層露出防水シルバーコート仕上
壁─レンガ積素地
建具─コールテン鋼サッシ
グラファイト仕上＋複層ガラスはめ殺し
［主な内部仕上げ］
天井─檜小幅板打上げCL仕上げ
壁─プラスター中塗仕上げ
床─モルタルコテ下地塩ビタイル張
●増築棟
建築面積─78.31m²
延床面積─140.68m²
規模─地上2階
構造─鉄骨造
竣工─1982年

⊙自邸（既存棟）玄関から見たレンガ壁と増築部分。

1987年1月号「北国に学ぶ［暖かい住宅］」より

1970年代

時代の総括

都市住宅の時代

都市と郊外の分離

高度経済成長の総決算として1970年に開催された大阪万国博覧会は、国家的行事としては大成功を収め、これをテコに日本経済は再び活気を取り戻した。しかし戦後モダニズムの総決算として位置づけられた大阪万博は、建築界においてはモダニズムの限界を露呈したものと受け取られた。

'60年代に始まった都市化と郊外化の動向は、'70年代に入るとさらに助長され、民間のディベロッパーによる郊外開発が各地で展開。これに建築家たちも参画してさまざまな提案を行うようになった。開発の隙間に生まれた斜面地を生かした**内井昭蔵**の「桜台コートビレジ」1970は、その好例である。また、日本住宅公団による画一的なスタイルの集合住宅に対する反省から、接地性の高い低層集合住宅なども注目を集めるようになった。なかでも特筆すべきは槇文彦の「代官山ヒルサイドテラス」の計画である。地主と建築家の幸せな出会いにより'69年から始まったお屋敷町の再開発は、住まいとともに店舗やギャラリー、レストランといった建築群を巧みに組み合わせた新しい街を出現させるきっかけとなった。

「都市住宅」の影響力

'68年に創刊された「都市住宅」はこの時期を代表する建築ジャーナリズムである。その誌上で活躍した建築家や住宅作家は〝都市住宅派〟と称された。**宮脇檀**、**阿部勤**、**鈴木恂**、黒沢隆などである。宮脇は、吉村順三譲りの、生活に密着した住まいを〝ボックス〟に包み込んだ軽やかな作風で人気を集めた。RC造打放しの箱のなかに独自の空間を演出した阿部や鈴木など、その住宅作品は今日も色あせない魅力を放っている。

「都市住宅」の魅力は個々の住宅作家たちの〝手八丁口八丁〟の仕事ぶりはもちろんだが、編集人の植田実の魅力によるところも大きい。住まいに対する貪欲なまでの関心、それは〝セルフビルド〟や〝コミュニティ研究〟に至り、さらにポストモダンの潮流のなかで〝保存の経済学〟へとテーマを移し、休刊を迎えるまで大きな影響力を与え続けた。

都市住宅派と同世代で関西において活躍を始めた**安藤忠雄**は、「住吉の長屋」（1976）で建築界に衝撃を与えた。機能的で使いやすいことをスローガンとしてきた近代住宅に対して反旗を掲げた作品である。RC造打放しのミニマリズムは「塔の家」と共に世界的な名声を得ることとなった。

モダニズムの反省期となった'70年代は、建築界に装飾の復活や歴史様式の再評価、風土への関心などのさまざまな潮流を生み出した。住宅分野でのポストモダンを代表する作品といえば、**石山修武**の「幻庵」（1975）であろう。コルゲートパイプを始めとする工業製品によってつくられた〝秋葉原感覚〟の住宅である。ほかにも宇宙論的なアプローチを得意とした毛綱毅曠（もづなきこう）の「反住器」（1972）などの話題作が登場した。一方、'60年代に盛んであった都市的な発想は影をひそめ、都市から離れ自然とともに生きることを提案した**石井修**の自邸「目神山の家」（1976）は多くの賛同者を集め、周辺には多くの石井作品が建ち並んだ。

「建築知識」
バックナンバーに見る
［建築］の歴史
1970年代
都市住宅の時代

本稿掲載作品　建築にまつわる出来事

マンション建設反対!?

日照問題に眺望や電波障害、工事中の振動、騒音、ほこりなど“建築公害”が社会問題化。周辺住民とどのように和解すればよいのか、設計、監理のベテラン勢が経験を語る❷

特集｜体験的“建築公害”対処法｜2月号｜

'74年2月号
「体験的“建築公害”対処法」

いつの時代も法改正は難解

共同住宅などの界壁の遮音に関する基準や、避難、消火、防火関連基準、集団規定の整備などが盛り込まれた改正建築基準法令について、改正内容を詳細解説。

特集｜改正建築基準法令早わかり｜3月号｜

1970年

- **建築基準法改正**（防火・避難規定の強化、容積率規定、集団規定の全面改定、総合設計制度）
- **大阪万国博覧会開催**
全体計画をまとめた丹下健三を筆頭に多くの建築家・デザイナーが動員された結果、万博会場に多くの実験的プロジェクトが出現した
- 内井昭蔵「桜台コートビレジ」

1971年

- **建築基準法施行令改正**（耐震基準強化）
- **環境庁が発足**
高度経済成長で引き起こされた公害、環境問題に政策的に取り組む
- 宮脇檀「松川ボックス」
- 大野勝彦「セキスイハイムM-1」

1972年

- **札幌オリンピック開催**
- **「日本列島改造論」発表**
田中角栄内閣のもと、日本全国に開発ブームが起き、土地の買い占めが行われて地価が大暴騰

1973年

- **第1次石油ショック**
- **新設住宅着工戸数、約190万戸を記録**

1974年

- **建築基準法にもとづき枠組壁工法における技術基準を告示**
それまでケースバイケースの認定だった枠組壁工法が一般工法としてオープン化
- 阿部勤「私の家」

初の読者参加型企画！

読者が参加した初めての企画「第1回 読者が選ぶ建築6点」の選考結果が発表された。6点を選ぶはずだったが、結果は残念ながら「該当作品なし」

特別企画｜第1回読者が選ぶ建築6点｜12月号｜

防火措置の手引き

建築基準法令の改正で建築物の防火措置についての要求が複雑となり、設計者を悩ませていた❶

特集｜新しい防火設計基準と対策｜5月号｜

'72年5月号
「新しい防火設計基準と対策」

木造アパートは都市の必要悪？

便所は共同、風呂もプライバシーもない都市における必要悪…。さんざんな言われようだった木造アパートの認識を改めようと試みられた特集

特集｜民間アパート｜3月号｜

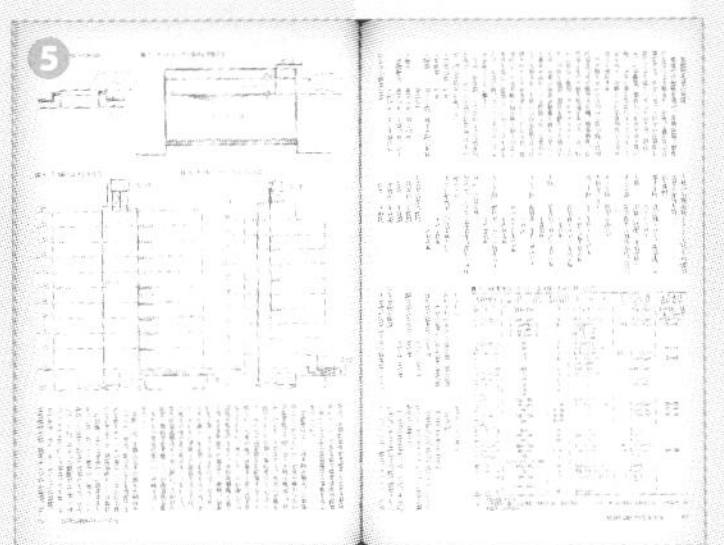

'77年2月号「塔状建物設計・施工マニュアル」

塔状建物を建てよう

塔状建物の設計・施工マニュアル。市街地で工事を行う場合は隣家とのトラブルを避けては通れない。特集では「尊敬の念をもって、親戚のような気もちで接すること」など、隣人に対する心構えも挙げている❺

特集「塔状建物設計・施工マニュアル」［2月号］

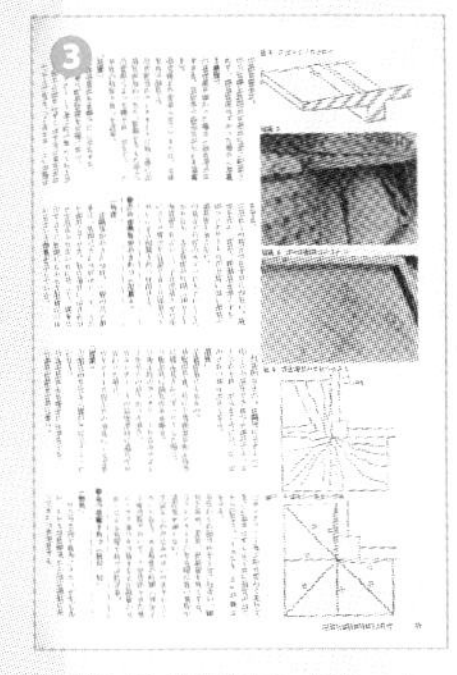

'75年12月号「コンクリート亀裂対策」

忌まわしきコンクリートの亀裂

忌まわしくもなかなか解決されないコンクリートの亀裂問題。技術的な指針を示すとともに、経験に裏付けられた実践的な手法を提案。施工の立場からは、最良のコンクリートは、上からではなくて下から盛るかたちで打設されなければならないと述べている❸

特集「コンクリート亀裂対策」［12月号］

1975年

- **沖縄国際海洋博覧会開催**
- **日本建築士事務所協会設立**
- 石山修武「幻庵」

1976年

- **建築基準法改正**（日影規制の新設）
  幅広い用途地域でマンションなどの中高層建築が建築されるようになり、日照阻害が大きな問題となっていた
- 鈴木恂「GOH-7611 剛邸」
- 安藤忠雄「住吉の長屋」
- 石井修「目神山の家（回帰草庵）」
- 藤本昌也「水戸六番池団地」

1977

- 黒沢隆「ホシカワ・キュービクルズ」

1978年

- **宮城県沖地震**（最大震度5、M 7.4）
- **成田空港開港**
- 山本長水「西野邸」
- 横河健「トンネル住居」

1979年

- **耐震上の配慮を特に要する建築物に対する指導指針が建設省より通達**
- **エネルギーの使用の合理化に関する法律**（省エネ法）**施行**
- **第2次石油ショック**

何度でも、地震に立ち向かう

'81年6月に施行される耐震指導指針の解説と耐震検討の計算例を先取り解説

特集「新耐震設計にどう取り組むか」［12月号］

2×4工法は定着するか

鉄骨とRCのプレファブ住宅の不振から、木造住宅を住宅流通のメインストリームに乗せるべく2×4工法（枠組壁工法）が登場。さまざまな問題が指摘された当時、2×4工法先進国、カナダ・米国視察の成果を報告

記事「2×4工法視察レポート」［5月号］

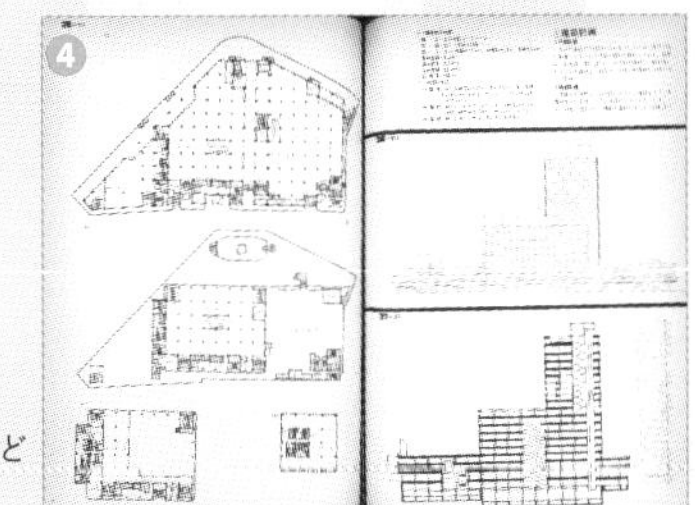

'76年8月号「再開発計画にどう取り組むか」

再開発が身近な仕事に？

小規模になっていく再開発は、設計者にとって身近な仕事になるだろうという予測のもと、再開発の手順とやり方を掲載❹

特集「再開発計画にどう取り組むか」［8月号］

うちい・しょうぞう［1933—2002］1956年早稲田大学理工学部建築学科卒業。'58年同大学大学院修士課程修了。菊竹清訓建築設計事務所副所長を経て、'67年内井昭蔵建築設計事務所を開設。人間にとって親しみやすくなじみやすい建築を掲げ、多くの公共建築にも携わった。「桜台コートビレジ」で'70年度日本建築学会賞受賞。主な作品に「身延山久遠寺宝蔵殿」('76)、「世田谷美術館」('85)など。

桜台コートビレジ

［1970年］

内井昭蔵

構造：RC造2〜6階建て　施工：東急建設

傾斜地を生かした集合住宅

「桜台コートビレジ」は、自然の秩序を取り込んだ建築を目指していた内井が、民間ディベロッパーによる新しい開発に乗って登場させた、新しい提案だった。

敷地は南北に細長く、西斜面で北下がり、傾斜角度は平均24°で、しかも奥行が狭いという不利な地形条件をもつ。ここにRC造2〜6階建て、総戸数40戸、収容人口160人ほどの小さなコミュニティが計画された。

住居集合化の方法として、壁構造による立体格子（3次元グリッド）のシステムを採用し、住戸はすべて3.6×3.6mの平面形をもつグリッドに乗る。周囲には道路に沿った駐車場があり、3カ所あるアプローチの階段を昇ると、3棟ある住棟（ブロック）背後のサービス道路に回り、それらは中央部で連結される。サービス道路からは階段のついた専用道路が各戸口までつながっている。個から全体へ至る巧みなアプローチが魅力的な路地空間を生んだ。

住宅を集積することで独立住宅では得られないオープンスペースなどのメリットを生み、単なる高密度住宅としてではない集合住宅のかたちを提案した。

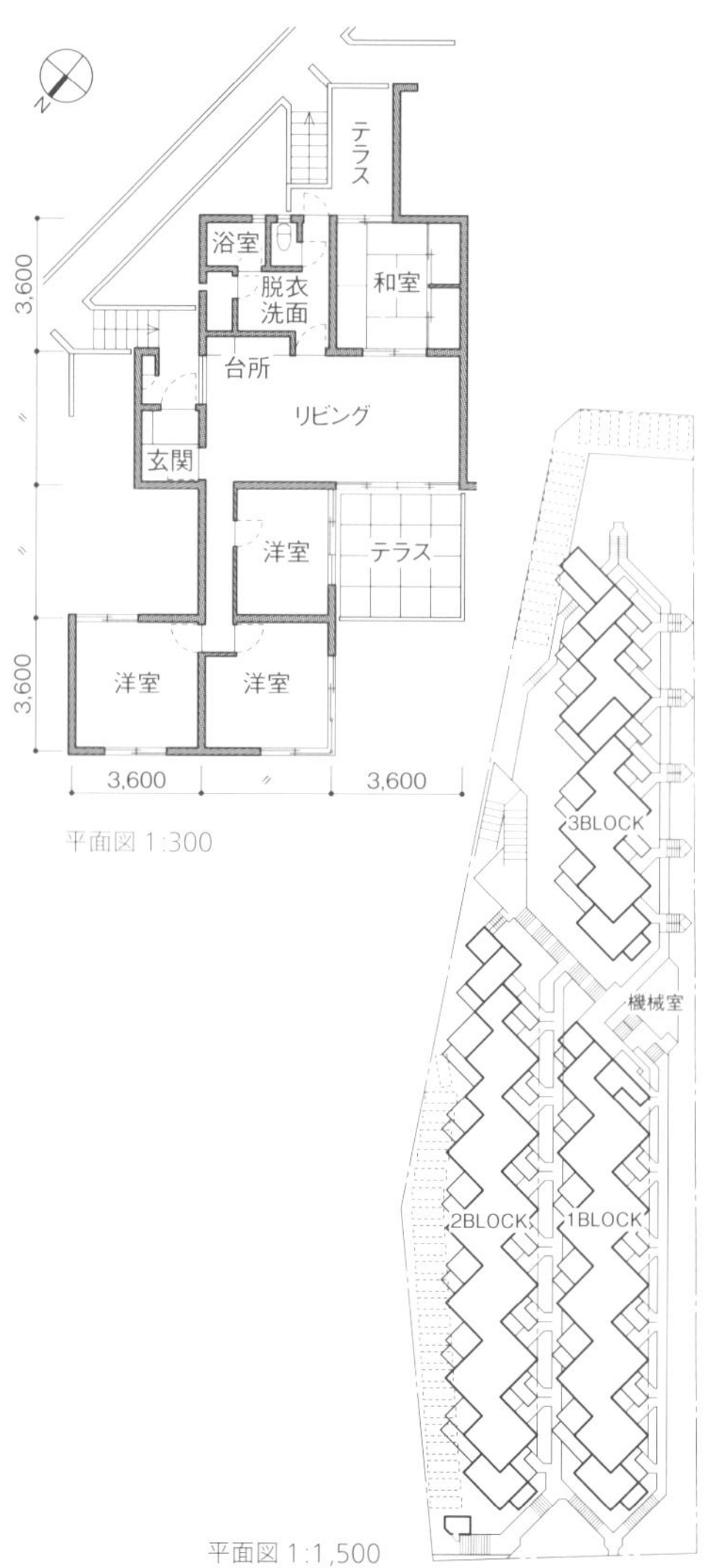

平面図 1:300

平面図 1:1,500

東急田園都市線（東京・渋谷と神奈川県中央部とを結ぶ鉄道路線）長津田駅までの開通に伴う拠点開発の敷地は、多摩丘陵の未開の斜面であった。当時、積層集合住宅は不動産としての価値が少なかったが、集合するメリットを最大限に生かし、公団2DKとはまったく異なる住環境を提案した。このときから内井は、「立地条件の悪さこそデザインの最大のエネルギーである」とした。　内井乃生（内井昭蔵夫人、文化学園大学名誉教授）

写真上:写真左が北側となる。西向き北下がりの斜面という建設に不利な土地を集合住宅にすることで、逆に良好な住宅環境を実現している
写真下:自然環境をとりこんだオープンスペース
(撮影[上]:新建築社写真部/[下]:奥村浩司)

おおの・かつひこ［1944―2012］1967年東京大学工学部建築学科卒業。同大大学院（内田祥哉研究室）にて建築の工業化を研究。'70年積水化学工業と共同で、低価格で高性能のプレファブリック（プレファブ工法）住宅として現在も高く評価されている「セキスイハイムM-1」を開発。'71年大野アトリエ一級建築士事務所を設立。

セキスイハイムM-1

［1971年］

大野勝彦

構造：軽量鉄骨造　施工：セキスイハイム

ユニット工法による高品質な「箱」

東京大学の内田祥哉研究室に所属し建築の工業化を研究していた大野と、積水化学工業が共同で開発したセキスイハイムM-1。鉄骨軸組工法が主流だった業界にユニット工法を持ち込み、話題を集めた。

軽量鉄骨、外壁パネル、折板屋根を主材料に工場でつくられた長さ5.6×幅2.4×高さ2.7mの箱が1つのユニットを成す。トラックで運び、現場ではクレーンで備え付けるだけで完成する。工場生産比率を80%以上に引き上げたおかげで、1坪当たりのコストは13万4000円となった。発売後5年間で1万7000世帯に普及。シンプルな外観と設備を充実させる考え方は、現在もセキスイハイムの鉄骨系住宅に受け継がれている。

「セキスイハイムM-1」の登場以降、ユニット工法でつくる商品化された住宅が次々と発売された。住宅モジュールを、トラックで運搬可能な最大寸法で分割したことや、その生産方法の新しさが日本の住宅業界に与えた影響は絶大だった。

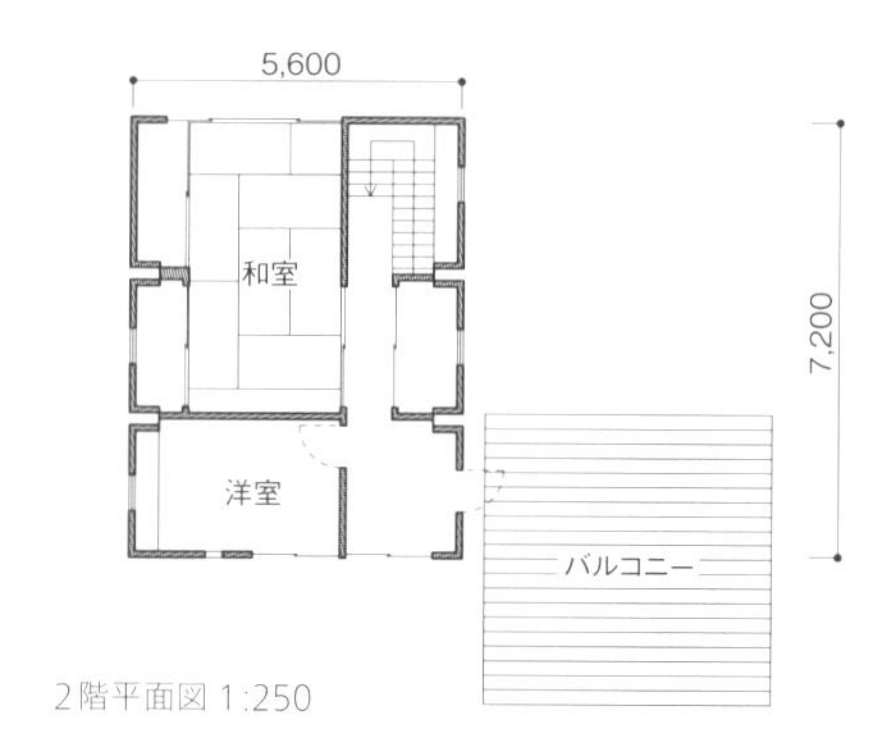

2階平面図 1:250

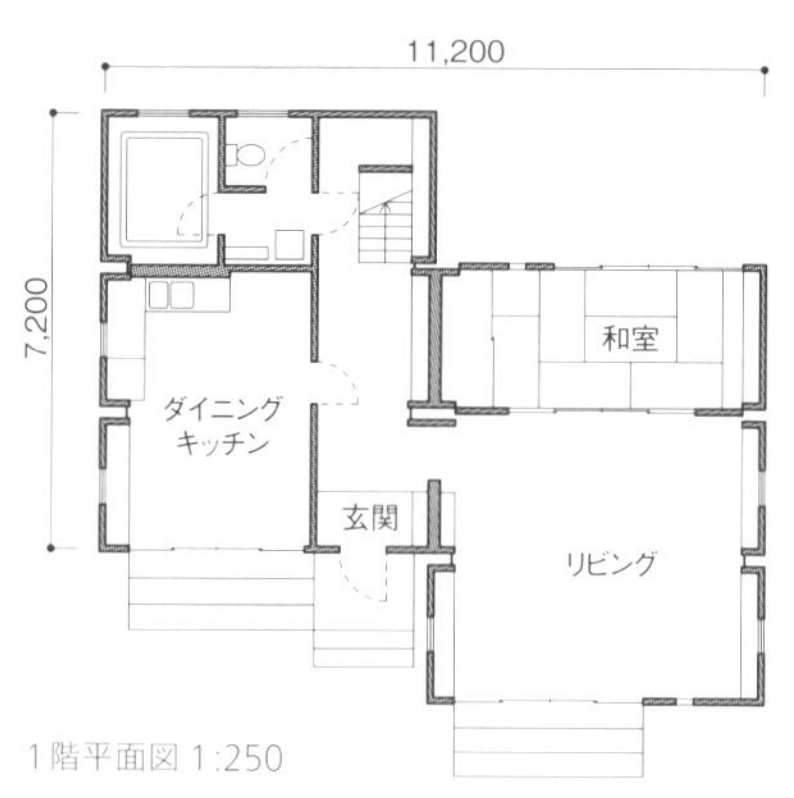

1階平面図 1:250

写真：上下・側面・妻方向・妻桁と、ユニットをつなげていくことで、さまざまな間取りに対応する。「日本のモダニズム建築100選」（現「日本におけるDOCOMOMO150選」）で工業化住宅として唯一選定されている（提供：セキスイハイムクリエイト）

1983年5月号　大野氏の連載「ルポタージュ 住宅をつくる部品たち」より

みやわき・まゆみ［1936―1998］1959年東京藝術大学美術学部建築科卒業。'61年東京大学大学院工学系研究科修士課程修了。'64年宮脇檀建築研究室を設立。文筆活動も活発に行った。住宅について数多くの著作を残し、建築家が住宅を設計するのが決して当たり前ではなかった時代に、一般にもよく知られる住宅建築家となった。主な著作に『日本の住宅設計』（彰国社）など。

松川ボックス

［1971年］

宮脇 檀

構造　RC造＋木造2階建て　施工　富田工務店

混構造の住まい

プライマリな箱（ボックス）のなかに良質な生活空間をつくり続けた宮脇は、住宅作品による日本建築学会賞受賞の糸口をつかんだ。

「松川ボックス」は、崖地に四角いボックスが浮き上がった「ブルーボックス」（1971）と並ぶボックスシリーズの代表作。RC造の箱を2つに割って引き伸ばし、その間に中庭を挿入した形式。周辺のスケールに合わせたRC造の箱に対し、内部は民芸品のコレクターである建築主の好みに応じて木造で仕上げられた。全体を統合する外側（RC造）と生活を反映する内側（木造）を対比的に取り扱う混構造に、意識的に取り組んだ最初の作品となった。

7年後には住宅兼ギャラリー・貸室という複合要素をもつ「松川ボックス2」がつくられた。

宮脇の手掛ける住宅は、生活に立脚した美しさの追求でもあった。それは恩師である吉村順三から学んだことだが、生活者と視線を同じくした宮脇の住宅設計は、今も若い設計者たちから参考にされ続けている。

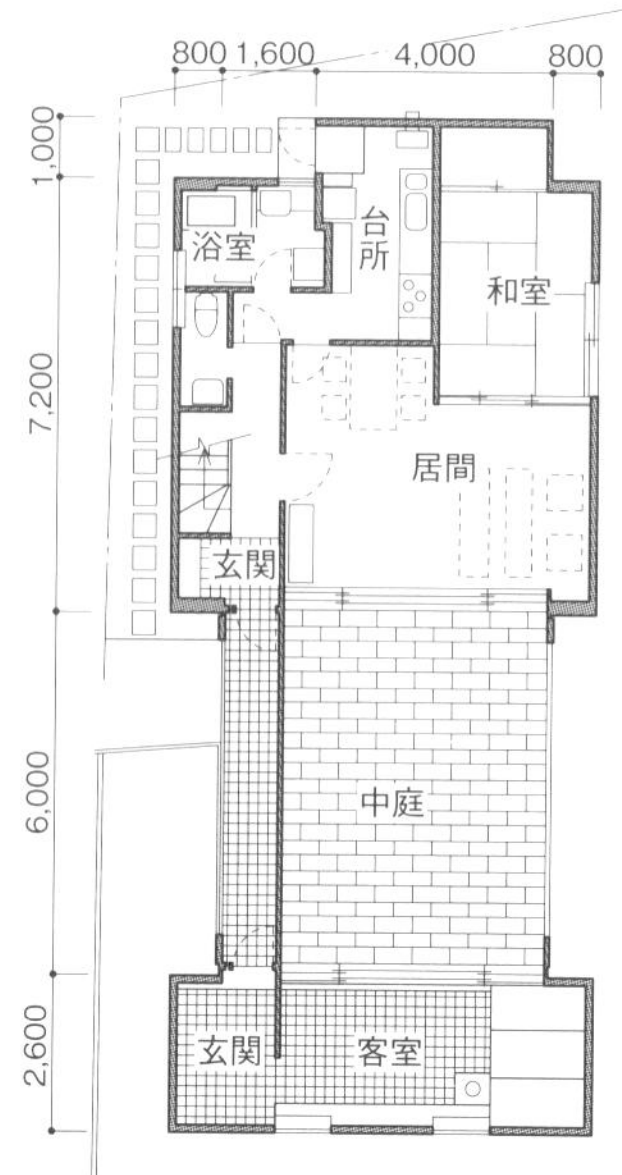

2階平面図 1:250

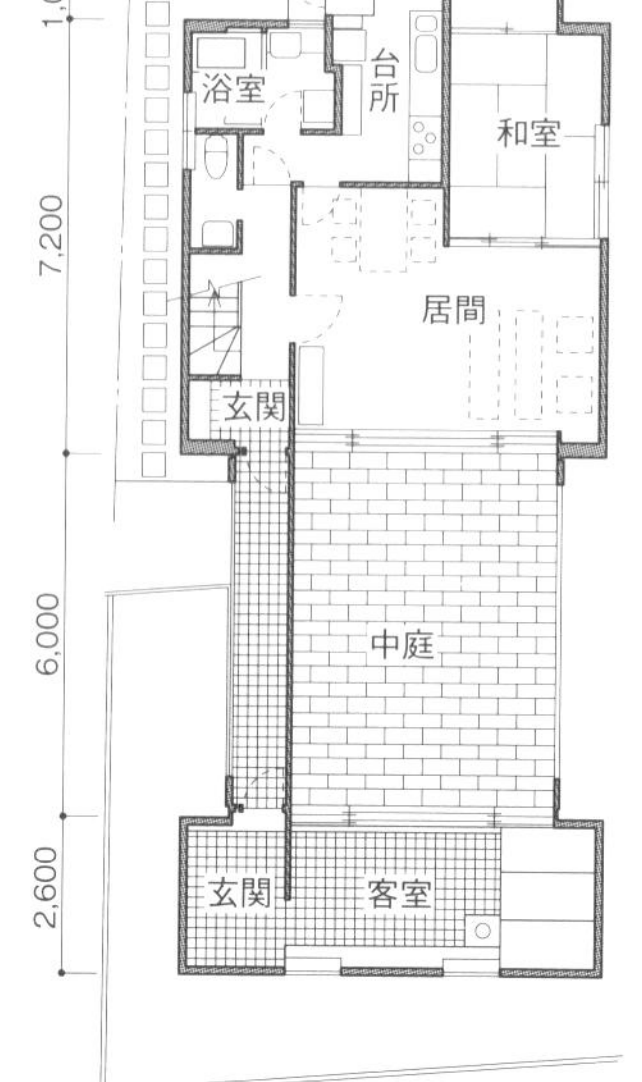

1階平面図 1:250

「建築知識」1983年9月号の特集「私の混構造住宅設計法」の冒頭で宮脇氏は、「住宅はその規模の小ささから、常に全体が細部までを規定してしまいやすい」としたうえで、「混構造は（中略）部分と全体の論理を、構造を分ける段階で分離してしまっているから、話は楽だ」と述べている。

写真：中庭を主体に主屋と離れの2つの箱が向かい合う（Photo: ©Osamu Murai）

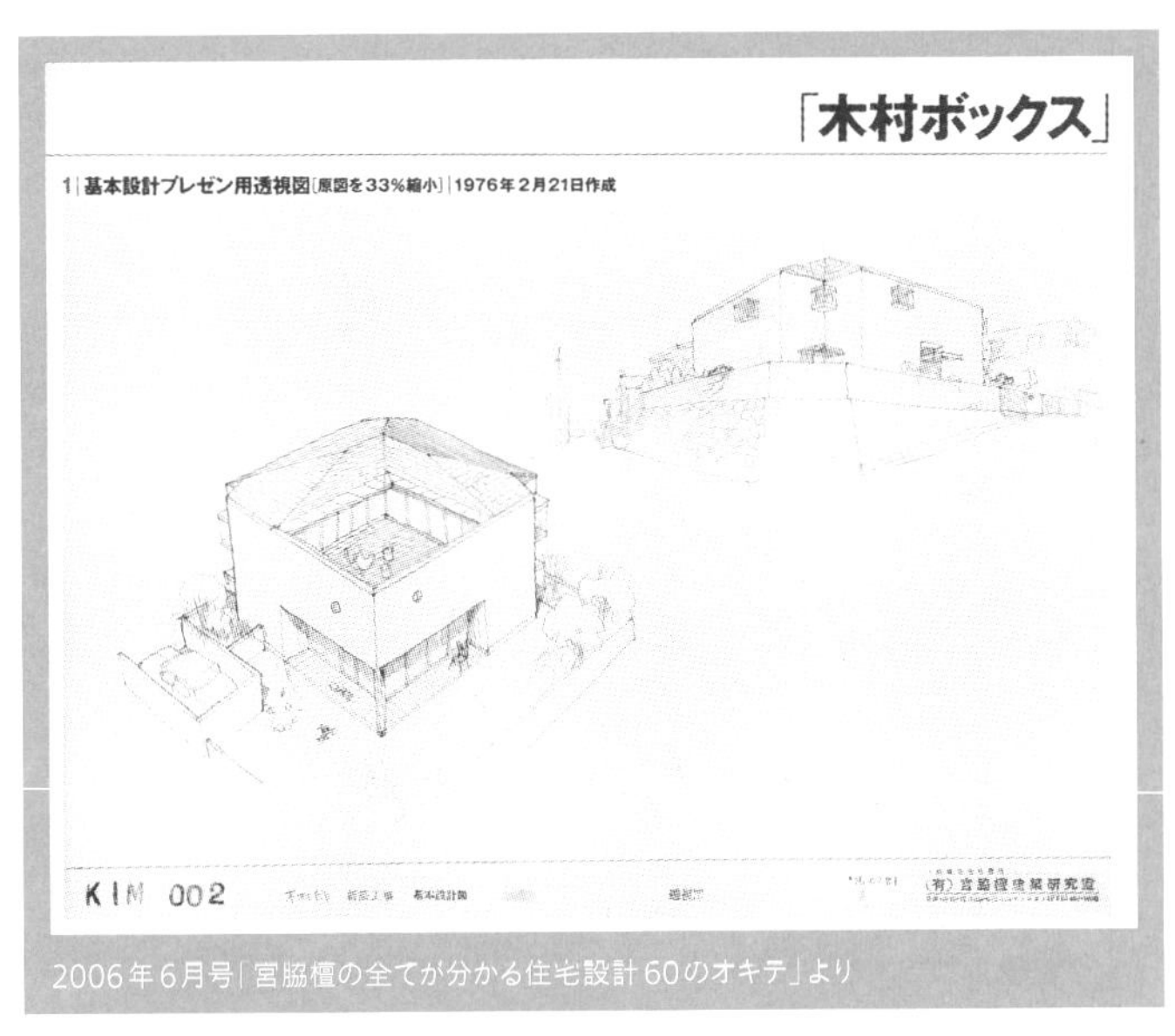

2006年6月号「宮脇檀の全てが分かる住宅設計60のオキテ」より

あべ・つとむ［1936－］1960年早稲田大学理工学部建築学科卒業後、坂倉準三建築研究所に勤務。'75年室伏次郎とともにアルテック建築研究所を設立。「時を経ても劣化せずによくなる住まい」を手掛け、日本建築家協会の25年賞を過去6回受賞している。

私の家

［1974年］

阿部 勤

入れ子構造の平面構成

環境になじみ、人になじむ都市型住宅を数多く手掛けてきた阿部の自邸。外と内との間のアウトリビングと呼ばれる居心地のよい半外部空間は、内部と外部を緩やかにつなぐ緩衝帯。1階は打放しコンクリート壁構造の囲われたやや暗い空間、2階は木造軸組構造の大きな開口による明るく軽快な空間が広がる。平面構成は2重の入れ子構造である。

1階の中心部にリビングを配置し、2階の中心ではフロアラインから770mm上がったところに寝室を置いている。各階の外側にはキッチンやダイニング、アトリエやテラスなどの外的な空間を配している。シンプルな平面構成ながら、敷地に生い茂る木々からプライベートな空間へと続く、見事なグラデーションを生み出している。さまざまな樹木の成長とともに〝棲み〟こなされてきた住まいの佇まいをみせる。

また外部には、敷地に対して建物を約30°ずらして配置したことによってできた四方の庭がある。街角に植わる大きなケヤキは住宅のシンボルツリーであり、街の風景でもある。「私の家」は、時とともに変化していく住宅と街の、あるべき関係性の一例となり、都市と住宅を考える設計者に〝気づき〟を与えるきっかけとなった。

構造：RC造＋木造2階建て　施工：内堀建設

2階平面図 1:200

1階平面図 1:200

コンクリートの壁と木の混構造でできた「私の家」は、40年の歳月を経ても劣化することなく、住まい手や環境になじみますますよくなってきました。デザイン的にも古さを感じさせないのは、流行に左右されず、変わることのない「拠点」「囲う」「被う」など、住空間の原点にかかわるものをもっているからかもしれません。　阿部勤

写真：2重の囲いの内と外が曖昧な空間。壁に囲まれ内的な空間であるが、緑豊かな外部空間。
屋外の生活空間として気持ちがよい（撮影：藤塚光政）

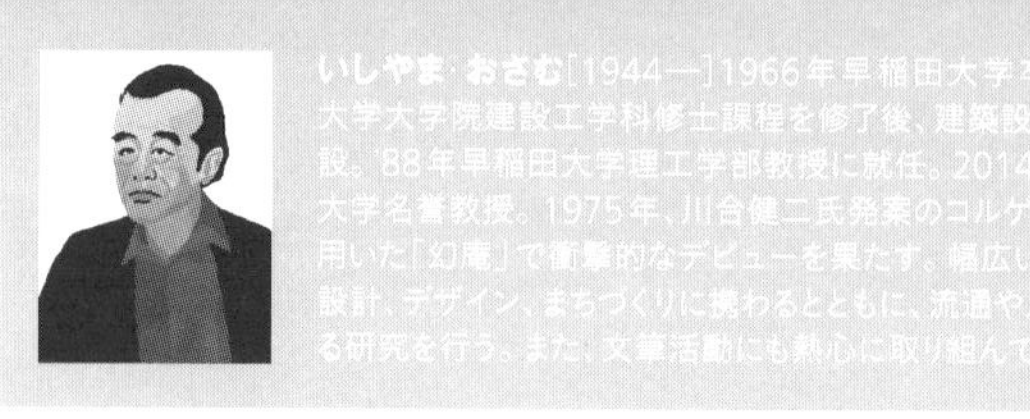

いしやま・おさむ［1944—］1966年早稲田大学卒業。'68年同大学大学院建設工学科修士課程を修了後、建築設計事務所を開設。'88年早稲田大学理工学部教授に就任。2014年から早稲田大学名誉教授。1975年、川合健二氏発案のコルゲート・パイプを用いた「幻庵」で衝撃的なデビューを果たす。幅広い分野において設計、デザイン、まちづくりに携わるとともに、流通やメディアに関する研究を行う。また、文筆活動にも熱心に取り組んでいる。

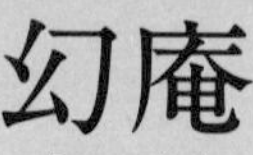

幻庵

［1975年］

石山修武

構造　ねじ式シリンダー構造2階建て　シリンダー制作　川崎製鉄

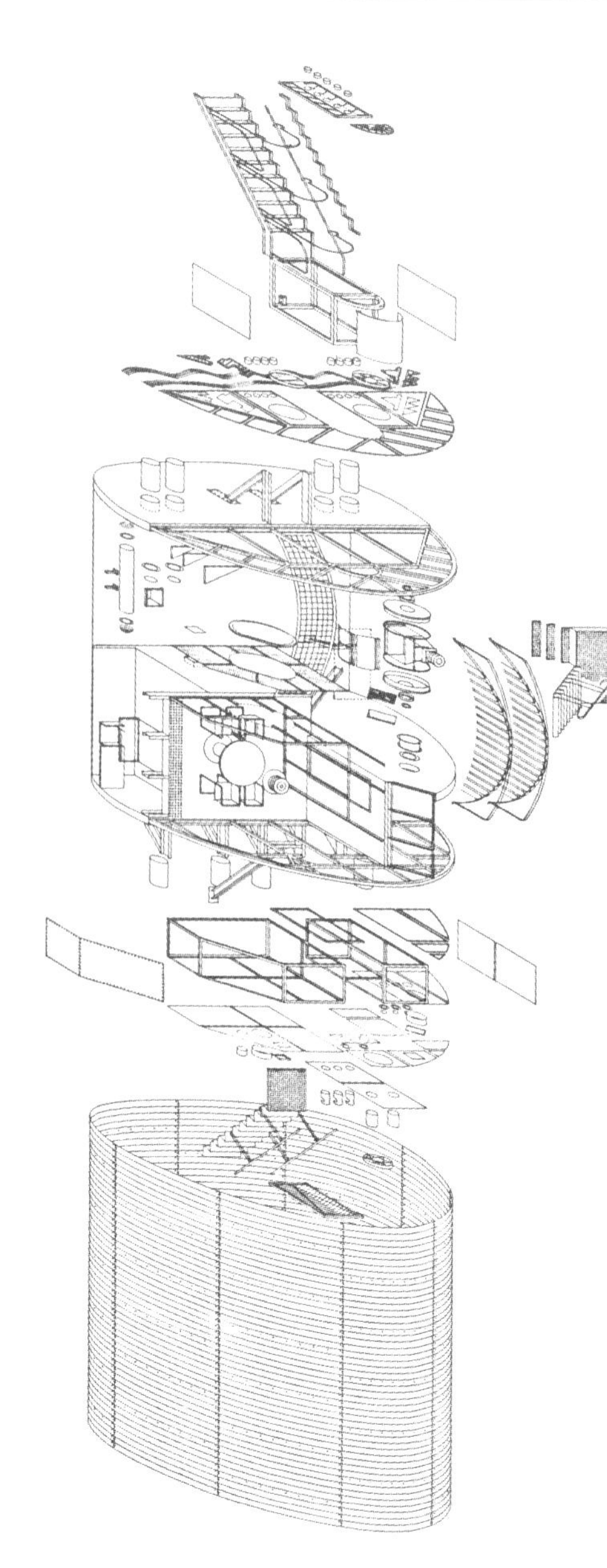

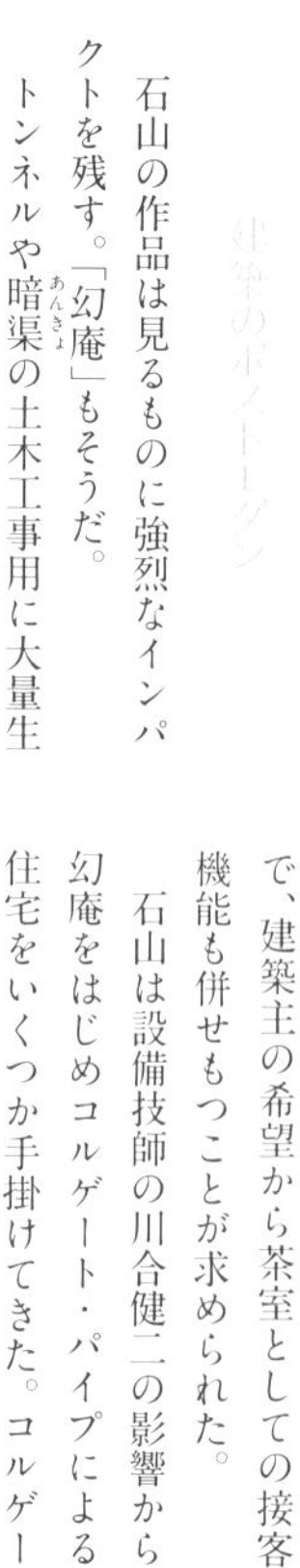

建築のポストモダン

石山の作品は見るものに強烈なインパクトを残す。「幻庵」もそうだ。

トンネルや暗渠の土木工事用に大量生産されているコルゲート・シートに手を加えて材料とした住居兼別荘。建築分野におけるポストモダンの代表作である。竣工時は夫婦と子ども1人のための住宅で、建築主の希望から茶室としての接客機能も併せもつことが求められた。

石山は設備技師の川合健二の影響から、幻庵をはじめコルゲート・パイプによる住宅をいくつか手掛けてきた。コルゲート・パイプによる住宅は2種類のコルゲート・シート65枚、総重量4709kg、2種類1400本のねじを用いて、素人が人力で組み立てる。幻庵では熟練鉄工職人の協力を得たが、現在の生産サイクルのなかの製品を転用し、かつ素人が組み立てるという〝秋葉原感覚〟によって、在来の建築観を覆した。

幻庵の特異な風貌が建築界に与えたインパクトは大きい。しかしそれ以上に、工業製品を用いた手づくり感覚による手法は、建築の生産システムへの反逆という点で大きな反響を呼んだ。

写真：若き日の石山が憧れた、パウル・クレーの画、曼荼羅、新古今和歌集、
装飾古墳などが正面の模様にすべて入る（提供：石山修武研究室）

すずき・まこと[1935―]1959年早稲田大学理工学部建築学科卒業。同大学大学院修士課程修了。大学院在学中は吉阪隆正に師事。'64年鈴木恂建築研究所を設立。早稲田大学名誉教授。'60～'70年代にかけ、打放しコンクリートを主軸にした多くの小住宅を手掛けた。スタジオ・エビス('80)、GAギャラリー('83)などの作品もある。スケッチや写真集を含む著作も多い。

GOH-7611 剛邸

［1976年］

鈴木 恂

構造 RC造2階建て 施工 大栄総業

コンクリートの箱に仕組む空間装置

鈴木は吉阪隆正研究室に所属していた大学院生時代から海外プロジェクトに参加、その後も中南米や欧米、中近東など世界各地をまわって見聞を広めた〝都市住宅派〟の建築家。幾何学的な構成による単純なコンクリートの箱のなかに、可動式の空間装置を挿入する手法で知られる。

「GOH-7611 剛邸」は2つの正方形平面の棟が5対3の振れをもった軸線で合体。その結果、パーゴラなどをもつ半屋外的領域（テラスやベランダ）が構成され、住宅密集地ながら開放性と室内のプライバシーという相反する要素を両立させた。のちに2階のテラスには、計画段階から想定されていた家族構成の変化に対応し、個室が増築された。

鈴木は打放しコンクリートの住宅に先鞭をつけ、数多くの小住宅を手掛けた。コンクリートを使った斬新な空間構想力と、個別性と拡張性を保証する手法によって、それまでの集団性から抜け出し、個別化していく高度成長期以降の生活に、建築的な解答をもたらした。

2,200 3,800 2,400
主寝室
テラス
トップライト

2階平面図 1:200

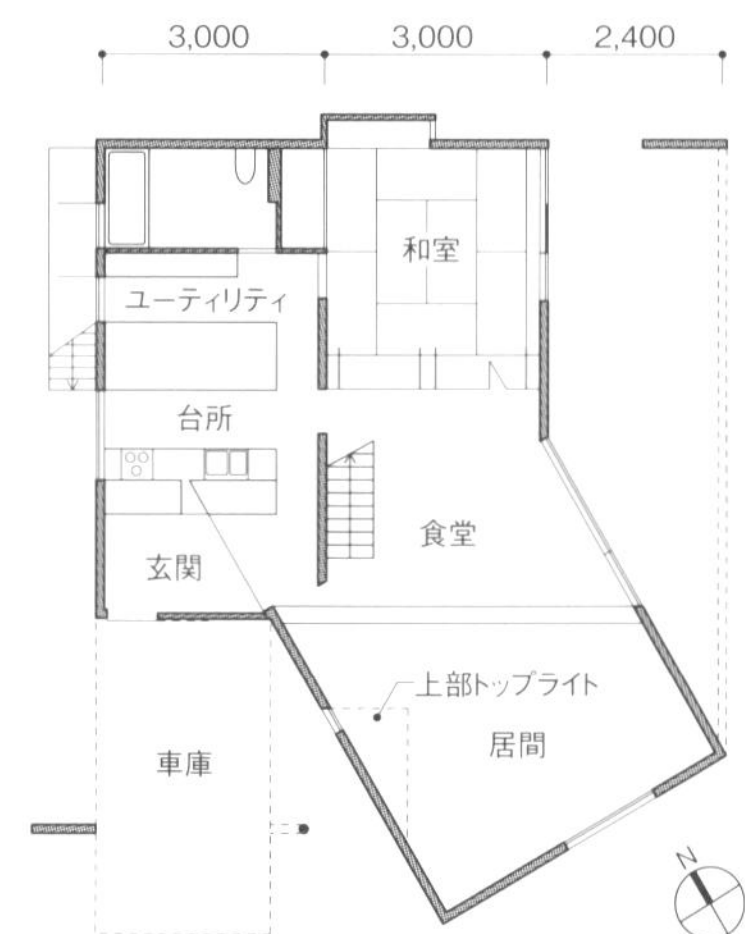

1階平面図 1:200

この住宅が建ってからすでに40年近い月日が経った。未婚の青年であった建築主は、結婚し、子を育て、現在ではここを仕事場としても使っている。こうした生活の変化のために、2度の大きな増築と継続的な補修をしてきた。コンクリートの打放しは年代ものの風格を帯びたが、空間的な骨格は少しも変わらず、長い時間に耐えている。それこそ建築家として誇らしく思うところである。 鈴木恂

写真：図式的なまでに研ぎ澄まされた、コンクリート打放し2階建てのボックス
（撮影：Y. Suzuki）

住吉の長屋
［1976年］

安藤忠雄

あんどう・ただお［1941―］独学で建築を学び、1969年安藤忠雄建築研究所を設立。個人住宅などの設計から始め、現在は大型公共施設や海外でのプロジェクトも数多く手掛ける。'95年プリツカー賞受賞。東京大学特別栄誉教授。主な作品に、「六甲の集合住宅Ⅰ」('83)、「表参道ヒルズ」(2006)など。

打放しコンクリートと自然

安藤は、自然のものではない打放しコンクリートという素材を用いた建築に、自然の息吹を感じさせる独自の表現によって、それまで誰も見たことのない建築を次々と生み出し世界中に衝撃を与えてきた。

「住吉の長屋」は3軒続きの長屋の1軒を、コンクリートの箱に置き換えるという提案。極度に抽象化されたその住宅は、安藤が世界に広く知られるきっかけとなった。

間口3.3m、奥行14・1mの15坪に満たない細長い敷地は3等分され、中央部の光庭を挟んだ東西に2階建てのボリュームが配されている。1階に居間、中庭の先にキッチンと浴室、2階には2つの個室があり、デッキによってつながれている。壁と天井はコンクリート打放し仕上げ、1階の床は玄昌石仕上げである。単純な構成ながら変化に富んだ住空間が演出され、季節の移ろいが中庭を介して住まいをいろどる。

この中庭は、雨の日にはトイレに行くにも傘を要する。しかし、「住まう」という行為への強い意志を引き出す。快適さだけを追求してきた近代住宅への強烈な批判を込めた作品。

4,700　4,700　3,300　個室　個室

2階平面図 1:2,500

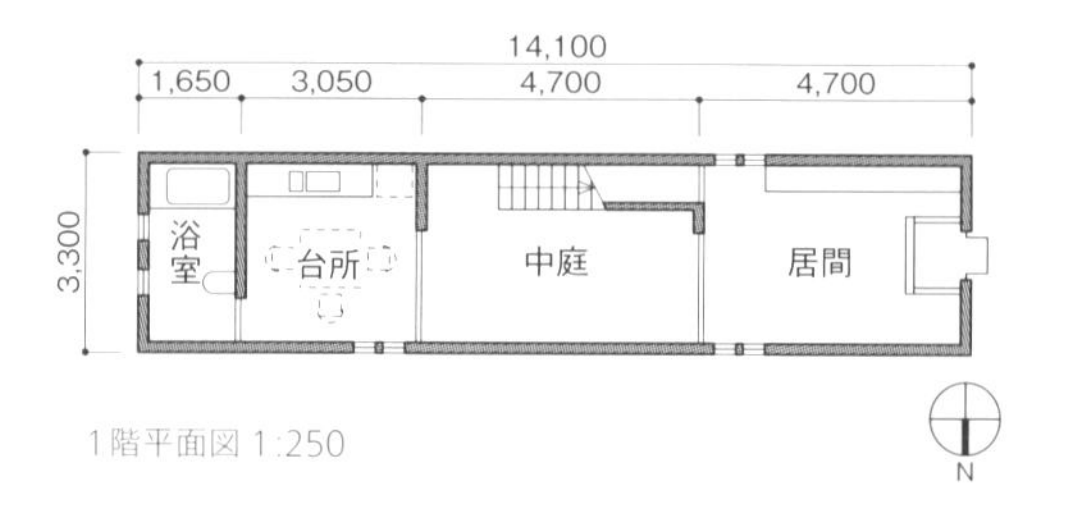

1階平面図 1:250

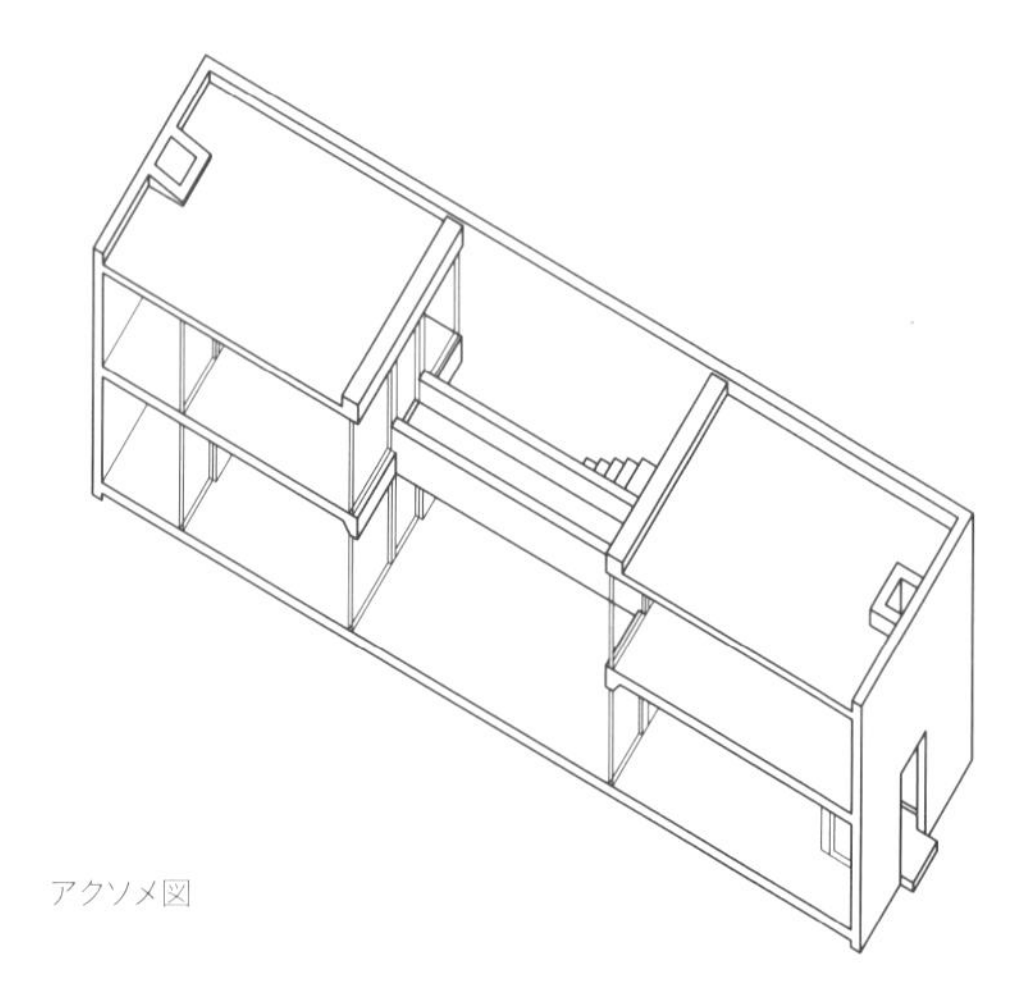

アクソメ図

発表した当初は、随分と非難を浴びた。こんなに使いにくそうで寒そうな住宅をつくってどうするのかと。しかし「住吉の長屋」は、限られた予算のなか、町屋のもつ日本の伝統をいかにして現代住宅に取り込むか、その可能性を極限まで考えぬいた結果生まれたものだ。竣工から35年を経た今になって、余分な要素を一切削ぎ落としたその生活空間を、エコハウスの原点だと評価する声もあり、驚いている。

写真上：建物上部から見下ろす。しっかり揃えられた打継ぎ目地などから、安藤の素材への情熱がうかがえる
写真下：吹抜けになっている中庭。大胆に中庭を取ることで、暗くなりがちな長屋の各室に光が差し込む
（提供：安藤忠雄建築研究所）

いしい・おさむ[1922―2007]1940年奈良県立吉野工業学校建築科卒業。大林組・東京支社勤務。'56年美建・設計事務所を開設。自然のままの地形を最大限に生かしながら、住空間と緑が共生する建築を目指した。主な作品に「シャルレ本社」('83)、「鹿ノ台の家」('94)、「繩庵」('94)、など。「目神山の一連の住宅」で'86年度日本建築学会賞受賞。

目神山(めかみやま)の家(回帰草庵)

[1976年]

石井 修

構造　RC造+木造2階建て　施工　中野工務店

地形に逆らわない

石井は自然と建築の融合を生涯のテーマとし、平地、傾斜地を問わず、地形の形質変更を最小限にとどめ、自然環境と共生する住宅をつくった。

20軒の「目神山の家」作品群は、兵庫県六甲山系の東端にある甲山の山懐にあり、そのなかの1つとして最初に建てられた「回帰草庵」は石井の自邸。敷地は道路から東に向かって落ち込む急斜面の土地で、上方に屋上庭園とした屋根を抱いたRC造の棟(息子夫婦世帯)が、下方に木造の棟が建ち、その両者を玄関と廻廊と階段室の空間が結び付けている。天に向かうかたちのRC造の棟と、地に潜るかたちの木造の棟という2つの相反する要素が一体化されている。山の地形に逆らわず林のなかに建てられていることから、下階の居間からは一面に広がる目神山の緑が展望できる。

「回帰草庵」は2002年のJIA25年賞大賞を受賞した。年月を経るほどに建築としての魅力を増す設計は、今なお新しい。自然をそのまま生かした住宅をつくるという発想はそれまでになく、現在珍しくなくなってきた屋上緑化などエコ住宅の考え方は、「回帰草庵」がもとになっているといっても過言ではない。

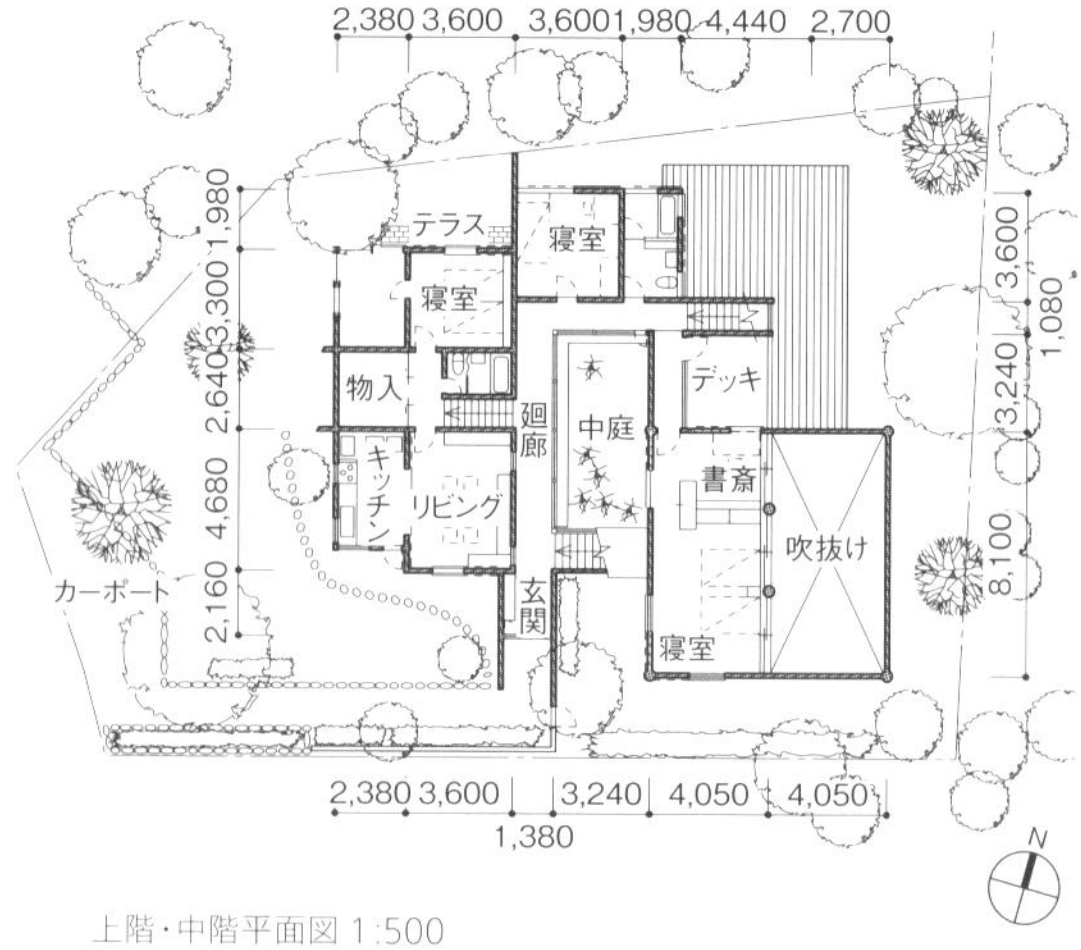

上階・中階平面図 1:500

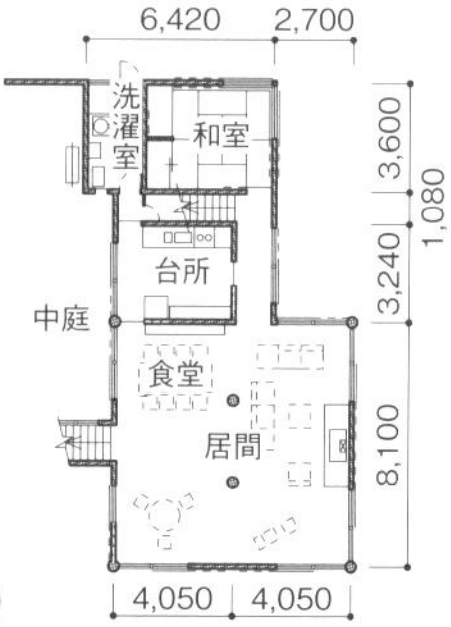

下階平面図 1:500

当初、敷地は樹木に覆われた急斜面であったこの2軒分の敷地に父は友人と家を同時に建てることになり、敷地上部に建つ家と、道路から下り森林に潜り込むような家を計画した。森林に埋もれる家を父は自分の家にしたかったのだが、友人の意向も確かめなければならない。友人は眺望も日当たりも良い上部に建つ家を選んだ。父は願っていたとおり、樹木に埋もれた家に住むことができた。　――石井智子(石井修・息女、美建設計事務所)

写真：周りを樹木に覆われているため直射日光は少ししか入らないが、制御された光が居心地のよい空間をつくる
（提供：美建設計事務所、撮影：多比良敏雄）

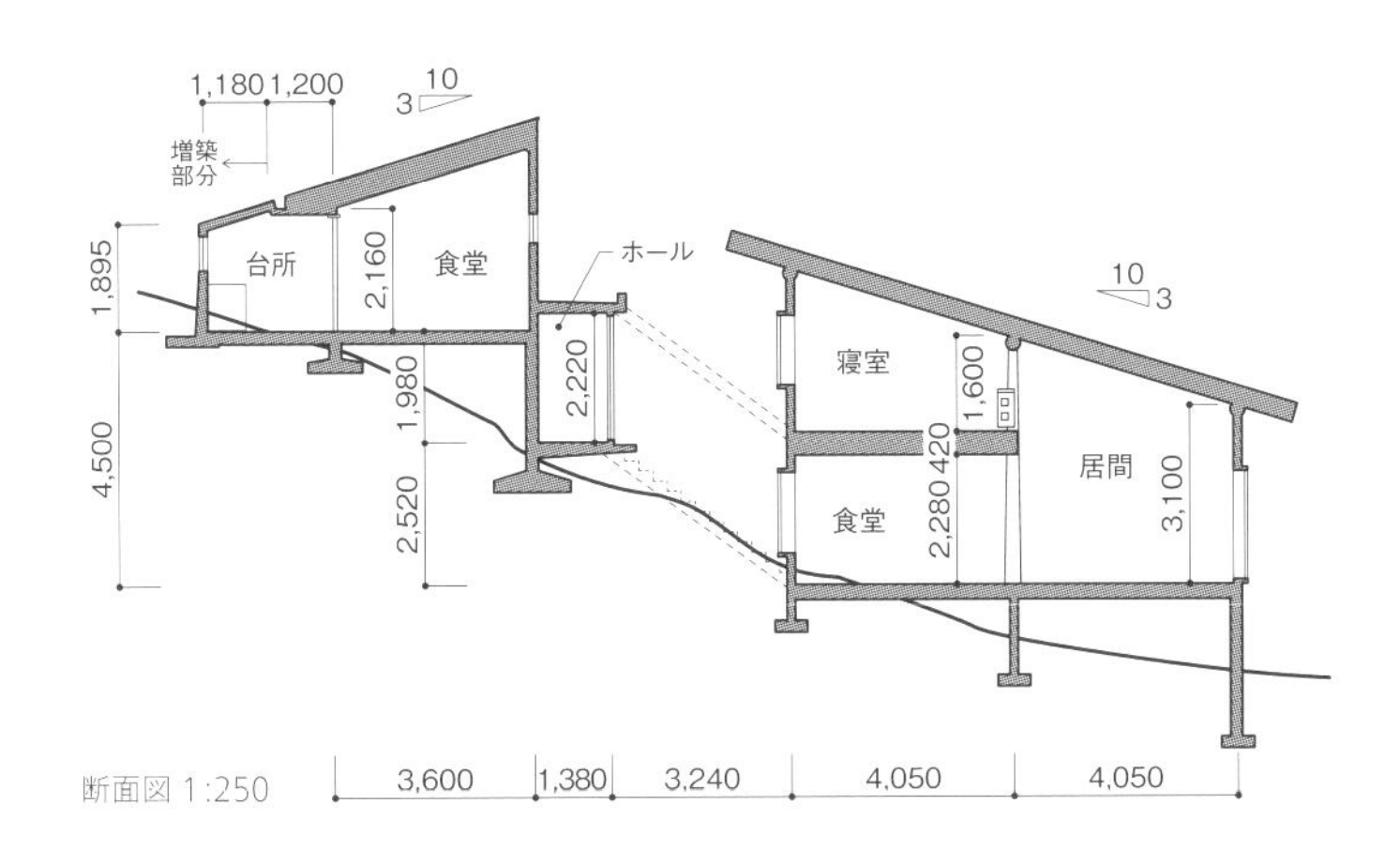

断面図 1:250

水戸六番池団地

［1976年］

藤本昌也

ふじもと・まさや［1937―］1960年早稲田大学理工学部建築学科卒業。同大大学院修士課程修了後、大高建築設計事務所に勤務。'72年現代計画研究所を設立。山口大学工学部感性デザイン工学科教授、日本建築士会連合会会長などを歴任。現在会長を務める現代計画研究所は、地域に根ざした集住空間や住まいづくりを実践し、都市景観の形成に貢献している。

構造　RC壁式構造3階建て　施工　西山工務店、蔦屋建設、瀬谷工務店

高度経済成長が終焉を迎えつつあった1970年代後半、建築界では、集合住宅のテーマとして地方性や土着性などが浮かび上がった。計画の規模・内容も、大きなものから小さなものへ、高層住宅から低層住宅へという変化が現れ始めていた。

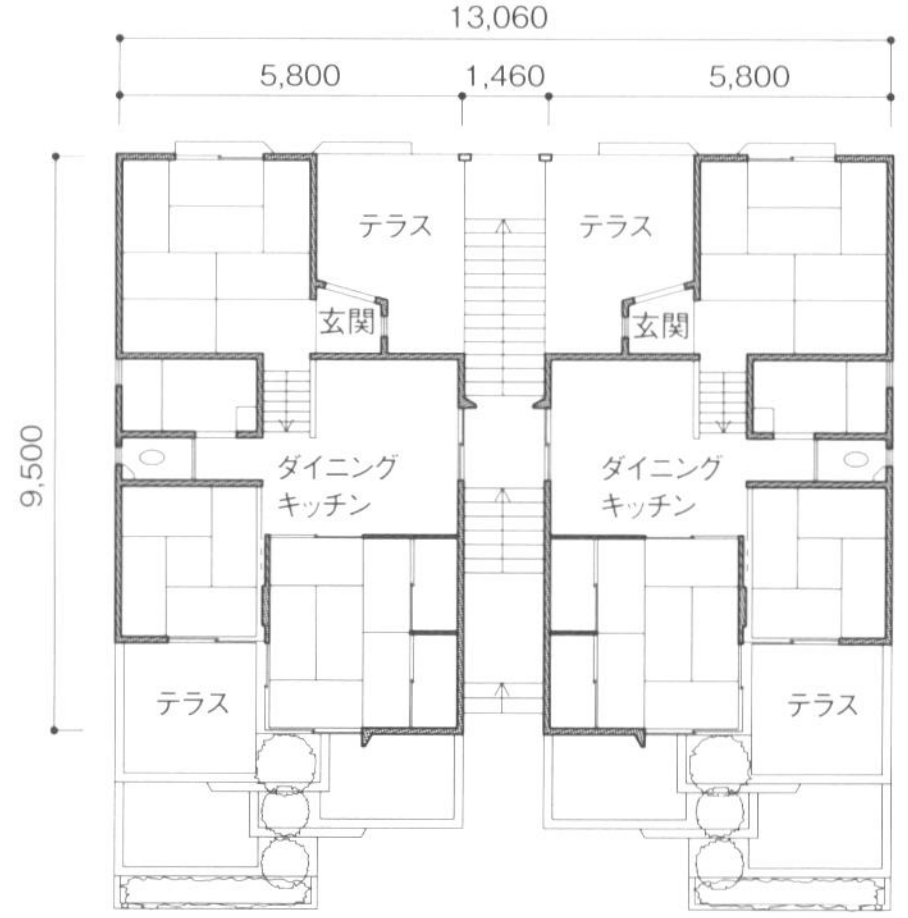

「水戸六番池団地」はRC壁式構造の3階建てで、1号棟から7号棟までが変形五角形の敷地に連なり、合計90戸の住居が収められている。入居後、アンケートをもとに改良が加えられ、藤本らにより茨城県の会神原団地や三反田団地などが建設された。藤本は'70年代前半、大高正人のもとで〝街をつくる集合住宅〟をテーマに広島基町高層住宅を手掛けており、このテーマがこれら低層集合住宅にもひきつがれている。

「水戸六番池団地」は、低層集合住宅ブームの先導役を担うとともに、〝低所得者向けの安普請〟という公営住宅のイメージを一新した。これ以降、集合住宅の設計は地域性に根ざし、街並みにも配慮したデザインが主流となっていく。日本建築学会賞の業績部門を受賞。

配置図 1:2,000

3階平面図 1:250

1975年、住宅の「量から質へ」という流れのなか、茨城県はこれまでにない低層公営住宅の建設に踏み切った。それは従来の画一的な中層公営住宅とはまったく異なる、地域の街並みや生活にマッチする住宅。各階住戸のオープンテラスや、路地型アプローチ階段、地場産瓦の屋並みに囲まれた人間的スケールの中庭づくりなどが、魅力あるデザインとして今も高く評価されている。

写真：自然の地形を生かした起伏ある中庭を囲い込むように建物が配置される。広いテラス、瓦屋根が特徴的
（写真提供：現代計画研究所）

くろさわ・たかし[1941—2014]1971年日本大学大学院修了。'73年黒沢隆研究室を設立。設計活動と同時に評論や教育にも力を注ぐ。近代家族像への批判から出発し、個室の集合に重きをおいた住居を手掛けた。家族と住居の関係について疑問を呈した黒沢の鋭い考察は、後の都市住宅のあり方に影響を与えた。

ホシカワ・キュービクルズ

［1977年］

黒沢 隆

構造　RC壁式構造2階建て　施工　東英建設

個室群住居の登場

黒沢は近代建築や近代住居への強い関心からL＋nBという定式化された近代住居に疑問を提示、夫婦を一体ととらえることに対抗し、互いに自立した夫婦関係を軸に独自の住宅論を展開した。「個室群住居」（家族ではなく、個人を単位とした住宅設計の理論）が成立するためには、安心して子どもを預けられる、あるいは育てる地域社会が前提となることから、黒沢の思考は人類学や霊長類学にまで及んだ。実現された最初の個室群住居は「武田先生の家」（1970）だが、厳密な意味での個室群住居の初披露は「ホシカワ・キュービクルズ」である。

個人用居住単位がそのまま2段組になり、1階に並置された共用施設からバックアップを受ける。その内容は給湯、ランドリー、ストック用冷蔵庫、来客用予備室とそのトイレである。'70年代後半から市場に登場するワンルームマンションとの違いは、多くのスタディの結果導き出された2.4×8.1mという平面サイズと、バックアップの有無である。

ユニークで先駆的な黒沢の思想は、個人を尊重する'90年代の建築の礎となった。

ルーフガーデン
個室B

2階平面図 1:200

共用ユーティリティ
共用予備室
個室A
N

1階平面図 1:200

建築知識 7
挑戦する住宅

「建築知識」1996年7月号の特集「挑戦する住宅」では、巻頭で黒沢氏と山本理顕氏の対談を掲載。「家族論」について、黒沢氏が山本氏の建築を例に挙げつつその建築思想に切り込んだ。家族のためだけの住宅をつくることに、山本氏にとっての矛盾があると、氏は述べた。

写真上：20坪の土地に建つ。居住単位を2層積み重ね、残りの敷地に共用施設という構成
写真下：個室A。半島型に突出した汎用性のある机と、それに合わせて造り付けた壁面収納
（撮影：輿水進）

記事	特集	掲載号
対談：山本理顕×黒沢隆 「家族論」を問い直す	挑戦する住宅	1996年7月号

対談：山本理顕×黒沢隆
「家族論」を問い直す

1967年、黒沢隆氏は書籍『個室群住居—崩壊する近代家族と建築的課題』を上梓、「個人」を単位とした住宅設計の理論「個室群住居」を世に提示した。その後、山本理顕氏は家族と住まいの構造を理論化して設計に反映。近代住居における「家族」のあり方を問い直した黒沢、山本両氏が対談した。

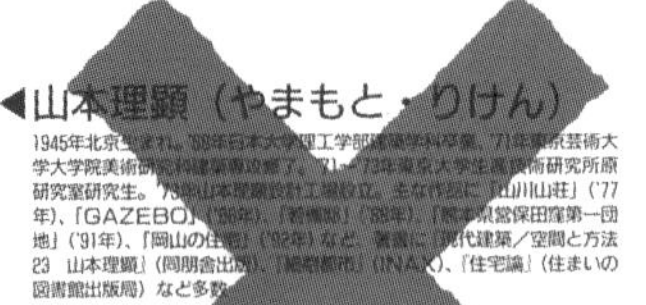

◀山本理顕（やまもと・りけん）
1945年北京[illegible]まれ。[illegible]年日本大学理工学部[illegible]卒業、'71年[illegible]京芸術大学大学院美術[illegible]修了。[illegible]研究所原研究室研究生。[illegible]設立。主な作品に「[illegible]山川山荘」（'77年）、「GAZEBO」[illegible]、「熊本県営保田窪第一団地」（'91年）、「岡山の住[illegible]など。著書に『[illegible]代建築／空間と方法23 山本理顕』（同朋舎出[illegible]）（INAX）、『住宅論』（住まいの図書館出版局）など多数

（くろさわ・たかし）黒沢隆▶
1941[illegible]まれ。'71[illegible]日本大学大学院[illegible]、'73年[illegible]研究室設立。[illegible]」（'74年）、「コワン[illegible]」[illegible]／4円[illegible]、「LAKE LODGE」[illegible]に『住宅の逆[illegible]ルドの飛行機出版会）、『翳りゆく[illegible]社）、『[illegible]＝時代のなかの住居』（メディアファク[illegible]）など多数

黒沢　山本さんはいろんなところで、いろんな原稿を書いているけれども、結論は常に書かない（笑）。

そのあたりを今日は聞いていきたいと思うんですが、たとえば「家族という切断面なしに住宅を考えるということは、それ自体おかしい」というのがありますよね。その続きとして、家族の集合体である集合住宅を考えようとするときに、家族が今のままで、集合ということがなし得るのかどうか、ということを考えなければいけないという。じゃあ、どうすればいいのか、はいわない。

山本　いや、いってます。自分のなかではそれは割にはっきりしているつもりです。ただ誤解しないでいただきたいのですが、家族というのは、非常に重要な1つの共同体だと思うんです。僕は、それがいけないとかいっているわけじゃない。

黒沢　もちろん、いけないとはいってないと思う。

山本　今の家族の仕組みは、ある程度うまくできた仕組みじゃないかと思うんです。今の社会をつくっているシステムとしても。でも、今いろいろ問題になっているのは、その共同体が破綻してしまった人たちをどうするかということだと思う。たとえば、離婚するとか、片方が死んでしまうとか、お祖父さん、お祖母さんが入ってくるとか、理想化されたモダンファミリーとは、違う状態になってしまう人たちですね。そういう人たちが、パーセンテージとしてますます増えてきているわけです。

黒沢　そう思いますね。

山本　そのときに今の家族に対する考え方とか、住宅に対する考え方だけで耐えられるかというような話です。

黒沢　モダンファミリーに対して用意してあるビルディングタイプで、非モダンファミリーを覆うことができるかということ？

山本　そういうことです。それは非常に難しいだろうと思うんです。

モダンファミリーというのはある1つの自己充足性を前提としてでき上がっているから、モダンファミリーじゃないタイプの住み方をしようとした場合には、その自己充足性がどこかで失われているんじゃないか。

黒沢　それは家族の自己充足性ですか？

山本　1つのコミュニティとしての単位です。家族というコミュニティとしての単位。居住単位といってもいいし、生活単位といってもいいと思うんですが。

黒沢　つまり簡単にいうと欠損家族にはノーマルな家族ほどの充足性はないということですか。

山本　そうです。それは欠損と過剰と両方ですけど。単純化していうと、欠損家族や過剰家族は、たとえば子供は必ずどこかに預けないといけないとか、障害をもったお祖父さんお祖母さんが家族のなかにいれば、どこか外部に依存しないと

「熊本県営保田窪第一団地」掲載誌：『新建築』'92年6月号、『建築文化』'92年6月号、『日経アーキテクチュア』'92年5月25日号、『新建築住宅特集』'93年1月号ほか

その家族は成り立たないとか、そういった状況が起きてしまっている。現にそういう家族の方が多数派じゃないかと思うんです。

黒沢　独り者のことは、あまり考えてない？

山本　たった1人で住んでいる人ですか。それはほとんど考えてない。1人で自分のことが全部やれる人は勝手にどうでも住めるんです。今ほど1人で住む人の選択肢が広がった時代はないと思います。

　ついでにいうと、いわゆる理想的な、健康なお父さんとお母さんがいて、子供が2、3人いて、それでうまくいっている家は全然問題がない。それをいちいち外側から「違う生活がありますよ」っていうつもりはまったくない。

　そうではなくて、そういうことが成り立たなくなってしまった家族の方が今は多数派になっているにも関わらず、なんで「理想的な家族」をそこにいつも描かなくてはいけないのかということです。ある生活居住単位として考えるときに、いつもそういうモダンファミリーが出てきてしまうのは何故なのかという。

黒沢　もうちょっと具体的にいってもらうと。

山本　つまり、それは理想化された生活というふうにわれわれは思っていますけど、同じ平面上に、他にもさまざまな選択肢があるはずじゃないかということです。理想化された家族像というのは、今いったみたいな、一夫一婦で子供が何人かいる。皆愛情があって、元気溌剌子供たちというようなもの。そういうものとズレたところに欠損家族、過剰家族があるわけじゃないと思うんです。これらが成り立たなくなってしまって、やむを得ず過剰家族、欠損家族なわけじゃないと思うんですよね。

　それぞれに、居住単位のつくり方が僕はあるんだと思う。たとえば子供1人にお母さん1人しかいないんだけど、それでも1つの居住単位として成り立つとしたら、何が必要かということになるわけですね、今度は。

　そうすると、違う意味での共同性がないと駄目じゃないか。その単位をくるむ、もう1つ大きい共同体を想定しないと、これは成り立たないだろうと思います。

黒沢　それはその通りですね。

山本　その大きくくるむ共同体のようなものを考えたい。それは集合住宅をつくるときが、絶好のチャンスだというのが僕の意見なんです。

黒沢　つまり特に公営住宅なんていうのは、まさにそれを考える場であると。

山本　そうです。

黒沢　考えた結果が、たとえば保田窪団地になったわけですよね（写真1）。

山本　それは全面的にうまくいっているとは思いませんけど、共同性というものの仕組みを空間構成として解いていったときの1つのやり方ではないかとは思っ

写真1　熊本県営保田窪第一団地。棟の中央部に設けられたコモンを見る

よこがわ・けん[1948—]1972年日本大学芸術学部美術学科卒業。黒川雅之建築設計事務所に勤務の後、'82年横河設計工房を設立。2001年から日本大学理工学部建築学科教授。空間を限定する境界や領域の問題を自身の建築のテーマとして作品を発表し続けている。

トンネル住居

[1978年]

横河 健

構造 RC造2階建て 施工 中野組

ランドスケープから家具まで

創造的な建築とは、新しい〝かたち〟を指すのではなく、創造的な〝空間〟のことをいう。横河は当初から自分自身を包み込む〝空間〟を強く意識してきた。

「トンネル住居」は横河が29歳のときの実質的なデビュー作でありながら、ダイナミックな構造的構成から手摺の細やかなディテールに至るまで完成されている。東西に9mスパンで壁が2枚並び、1.5mピッチのジョイントスラブによってトンネル状の構造体がつくられている。

1階は寝室などのあるプライベートな空間、2階は1室空間の主室で、そこにキッチンを内包した大きな家具ボックス〝環具〟が45°に振られて置かれている。環具には生活に必要な設備装置として、冷暖房、音響、テレビ、電話、照明などが納められる。45°に振られたことで生まれる3つのエリアが、それぞれ居間前室、居間、食事のためのスペースとなり、連続的につながる3つのエリアと庭に対する開放感とが、魅力的な1室空間を生み出す。1階は生活の変化に対応して増改築が試みられてきた。

横河建築の魅力は、〝ランドスケープから家具まで〟を射程においた建築的構想力と、贅沢を知り尽くした美的感性にある。

10,900
9,400
リビング
ホール
バルコニー
バルコニー
キッチン
納戸
ダイニング

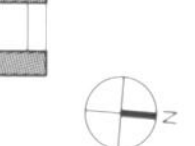

2階平面図 1:250

アクソメ図

※:1階は変化する構造内累積(構造躯体内の増築・改修)、2階は35年間変わらない空間

写真上：南北に開いたトンネル状の構造
写真下：構造から切り離され、中央に置かれた設備装置（環具）は単純な構造とは対照的にその存在感が強調されている
（撮影［上］：新建築社写真部／提供［下］：横河設計工房）

やまもと・ひさみ［1936―］1959年日本大学工学部建築学科卒業後、市浦都市開発建築コンサルタンツに入所。'66年山本長水建築設計事務所を設立。地場で産出される優れた素材を使い、地場の職人の手によって施工し、現代の生活感覚に合った住宅とする「土佐派の家」を長年手掛ける。

西野邸

［1978年］

山本長水

地域に根ざす住宅建築

「土佐派の家」とは、高知県建築設計監理協会を活動母体とする建築家たちによる地域主義の建築、およびその建築家たちの活動の総称である。建築史家の村松貞次郎博士によって命名された。組織的な活動は1995年から続く。津野町の公営「船戸団地」17棟の計画において、若いメンバーらが、共通の約束事を踏まえたうえで1棟ずつ別々に設計を担当したことが契機となった。以後、多くの木造住宅などを設計、地域振興と木造住宅を軸に活動が展開されてきた。土着の風土に立脚して伝えられてきた伝統的な建築の手法を重視し、高知の伝統的な家屋の特徴である、いぶし桟瓦の勾配屋根、土佐漆喰とスギ板による外壁、土壁とスギ材を使ったインテリアなどを特徴とする。

その1つとなるのが「100角構法」と呼ばれる重ね梁による構法。高知県産の造林木を用いた技術で、105㎜の正角材のみを用いる。ねばり強さが得られるだけでなく、造作材としての表現も想定されている。柱・梁・床などの構造体はすべて露出させ、空間を引き締める。

構造　木造2階建て　施工　勇工務店

3,000　1,800　3,750　2,100　3,900

更衣室　子供室　寝室

2階平面図 1:250

3,000　1,875　1,875　5,550　4,725　3,750　3,750　1,500

浴室　洗面脱衣室　玄関　勝手口　廊下　応接室　台所　茶の間　客間　床の間　食堂　縁側　客間　床の間　縁側

1階平面図 1:250

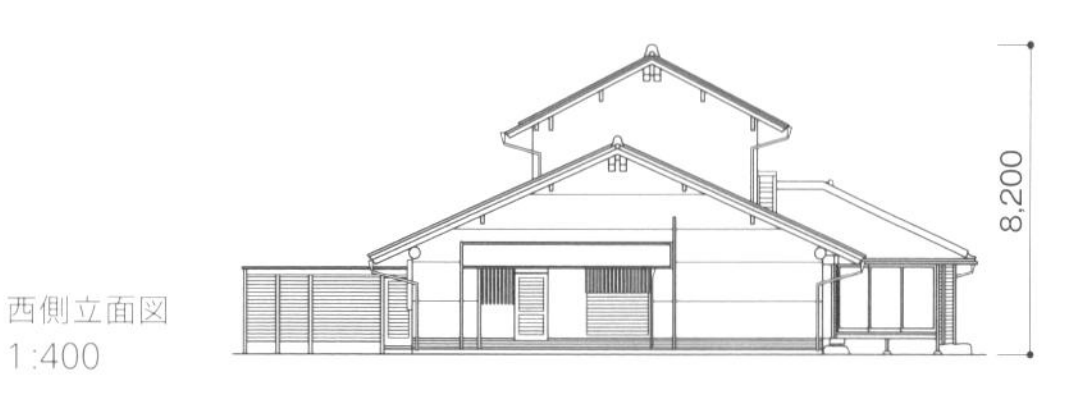

西側立面図
1:400

42年ほど前に西野邸を設計させていただき、ほぼそのままお使いいただいている。13年前、この家で成長された息子さんのご家族の住まいを、隣接して設計させていただいた。新しい家も昔と同様に、間伐・造林木のヒノキ、土佐漆喰、土佐和紙でできている。同じ素材だが、30年間で少し進化した表現になっている。

山本長水

応接室

北側外観

縁側より客間を見る

客間より縁側方向を見る

がらの香長平野（高知県中央部）の農家の接客部分のデザインをもとに、これから時代離れしたオーバーな飾りを捨てたシンプルなものとし、土佐の天然木の檜を使って造作している。西半分と二階部分は、所謂ケの部分で、家族の生活ゾーンをつくっている。農家の座敷と土間との関係を踏まえて、イス座部分は床座部分（タタミの部分）より240ミリ床高を下げて両者の視線の高さを調整している。土間に相当する部分のデザインも柱を見せて真壁構成とし、ディテールとインテリアデザインの純化を意図している。このケの部分では木材は地場産の造林檜を使用して、ちょうどつむぎの着物を楽しむように、節のあるままを楽しむ方向を意図している。この檜はハレの部分に使われた檜の十分の一から二十分の一の価格で資源涸渇の恐れなく今後多量に供給され得るものであり、地場産の「土佐しっくい」を使うこととともに、この美しさを引き出して語らせる手法を磨き上げてゆくことが、プリントものや吹付けものの建築価格に対抗して生き残ってゆくための戦略として欠かせないものであると考えている。

このお宅では木材は重要な資材であり、請負部分から切離して施主が昔のように直かに調達して支給する方式を採った。住まいは四十代半ばの御主人と夫人、子供の三人のものである。建築主のお父さんが、建物に詳しく、強い関心を持って

1981年1月号「地域に根ざす住宅建築」より

1980年代

時代の総括

環境意識の高まり

エネルギーと環境

1979年のオイルショックにより、建築界でも徐々に、エネルギー問題への関心が高まることになった。住宅の分野では自然エネルギーを活用したパッシブ・ソーラーハウスや省エネルギー住宅の開発が始まった。吉村順三門下の奥村昭雄によって「OMソーラーシステム」という名のパッシブ・ソーラーシステムが開発され、後輩である**野沢正光**らのグループや**小玉祐一郎**らによって研究と開発が積極的に進められた。しかし、オイルショックをくぐり抜けた日本経済は'80年代後半になると、資産価値が実体を離れて膨張する泡沫化現象で仮初めの繁栄を謳歌したことで、エネルギー問題への関心をやや見失ってしまった観がある。

一方で'80年代は、環境を意識した住まいづくりが主張され、環境共生住宅という名称が出現したことでも記憶される。'83年から開始された建設省のHOPE計画（地域住宅計画）は、地域性を特徴としたさまざまな住宅建設を促した。高知県の土佐派の活躍、秋田県営団地や富山上平村立の楽雪住宅を手がけた三井所清典の活動などが挙げられる。また老朽化などを理由にして解体が進行していた古民家を現代に生かすことをテーマとした**降幡廣信**の民家再生の試みが広く注目されるようになった。

都市型住宅の変化

都市型住宅にも新しい動きが現れ始めた。「中野本町の家」（1976）で閉鎖的なチューブ空間を提案した**伊東豊雄**は、隣接する自邸「シルバーハット」（1984）では中庭を介した開放的な住まいを実現。仮設的な雰囲気により〝浮遊する居住観〟を演出している。**山本理顕**は雑居ビルの屋上に暮らす都市型住居として「GAZEBO」（1986）「ROTUNDA」（1987）などを次々と発表、さらに複数の世帯が暮らす

「HAMLET」（1988）などを経て、『一家族一住居』を基本とする近代住宅への疑問を投げかけるようになる。大学の先輩でもある黒沢隆の活動にも影響されながら'93年にはそれまでの考察をまとめて『住居論』を発表。戸建住宅から集合住宅に至る幅広い設計活動を通じて「L＋nB」に象徴される近代家族像と近代住宅を乗り越える試みを行っている。

「建築知識」
バックナンバーに見る
［建築］の歴史

1980年代

環境意識の高まり

本稿掲載作品

建築にまつわる出来事

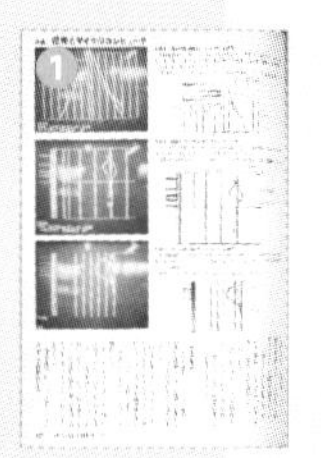

'80年6月号「建築とマイクロコンピュータ」

コンピュータの可能性は…

コンピュータが広く普及し始めたこの当時。建築の業務のなかにコンピュータをどのように取り入れるかを紹介した特集。まだ“パソコン”という呼び方をしていない❶

特集｜建築とマイクロコンピュータ｜6月号

1980年

- **住宅の省エネルギー基準**（旧省エネルギー基準）**制定**

1981年

- **建築基準法施行令改正**（新耐震設計法に移行）
耐震基準の改正、地震力規定に動的配慮が加えられる。また、2つの大きさの地震力を設定して、2段階の耐震設計が導入された

学校は抑揚のない建築？

教育方法の変化に対応した学校建築をつくるための考え方アプローチの仕方を紹介❷

特集｜これからの学校建築｜10月号

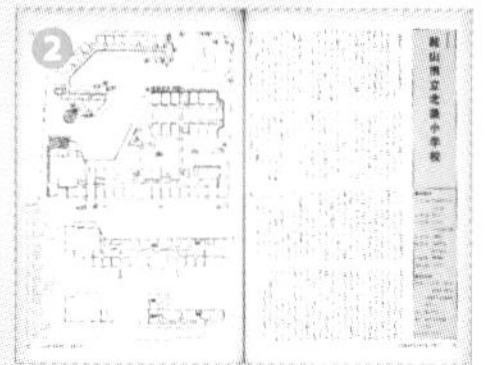

'81年10月号
「これからの学校建築」

くらしとモノのせめぎあい

消費熱の高まりでモノが氾濫する一方、収納するスペースは不足―そんな現状をとらえ、“収納”の問題を考えている

特集｜“収納”考｜11月号

1982年

- **ホテルニュージャパン火災**
- 降幡廣信「草間邸」

保育室が一軒の家

1つの保育園を取り上げ、その計画から竣工、さらに保育の実践までを記録した特集。度重なる打ち合わせをもとに設計を進めたにもかかわらず、保育の実践で浮き彫りになった問題の原因を明らかにしている

特集｜ドキュメント保育園｜5月号

1983年

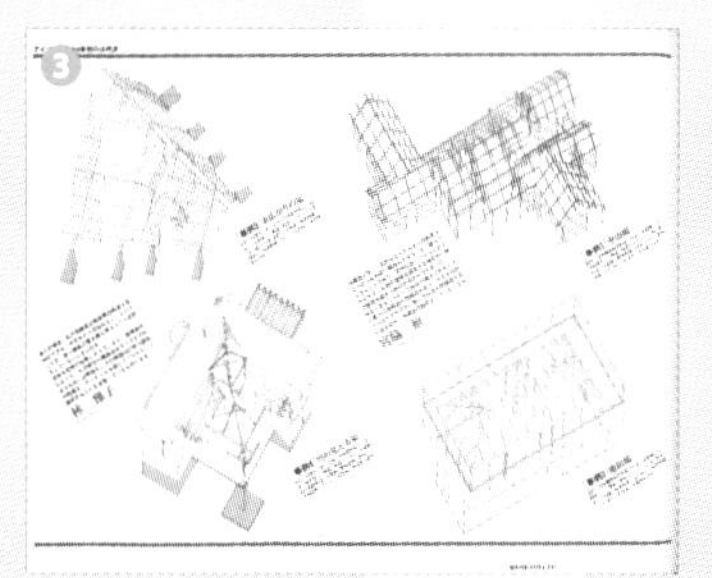

'83年9月号「私の混構造住宅設計法」

混構造のポテンシャル

単一構造に比べて歴史が浅く標準的な設計手法やマニュアルがなかった混構造を、4人の設計者による8つの作例で取り上げた❸

特集｜私の混構造住宅設計法｜9月号

高齢化社会の建築

建築という“器”はどのようなかたちで高齢化社会に対応するのか。老人の生活行為からディテールの検討までを試みた

特集｜老人のための住環境｜9月号

1984年

- **都心でワンルームマンション規制問題が過熱**
- 伊東豊雄「シルバーハット」
- 小玉祐一郎「つくばの家」

'86年3月号「私の[コンクリート打放し]設計術」

どうつくる打放しコンクリート

この時代、珍しくなくなってきた打放しコンクリートという表現手法を得意とする建築家の作品を取り上げ、その手法を分析するとともに、きれいな打放しをつくるための現場での工夫を紹介❹

特集「私の[コンクリート打放し]設計術」[3月号]

設計事務所のサバイバル作戦

かつてないほど建築設計界が繁栄していたこの当時、ゼネコンの反転攻勢などに対し、設計事務所はどうやって生き残ればよいのか。"これからの" 設計事務所像を考えている

特集「これからどうなる!? 設計事務所」[12月号]

ハイグレード、ローコスト

設備や内装が過剰なほど装備された住宅が一般化するなかで、住宅に本当に必要なものを見極め、建築主のライフスタイルに合った住宅をつくり出す4人の作家の手法を紹介

特集「住宅の贅肉をおとせ！」[8月号]

1985年

30歳代は働きマン

仕事でもプライベートでも一人前と目されるようになり生き方が固まっていく30歳代。そのとき、実務上でぶつかる問題とはなにか。30歳代を迎えた人、迎える人に向けたガイダンス

特集「『30代』を学ぶ」[4月号]

1986年

1987年

- **建築基準法改正**
  準防火地域で木造3階建て住宅の建設が可能になった
- **バブル経済の過熱**
- **日本建築家協会（JIA）結成**

1988年

◆ 山本理顕「HAMLET」

1989年

- **昭和天皇崩御**
- **土地基本法成立**
  土地政策の基本的な方向を定めた。①公共の福祉の優先、②適正かつ計画的な利用、③投機的取引の抑制、④受益に応じた負担、の4原則が柱
- **消費税導入**（税率3%）
- **通産省、環境庁、東京都によるアスベスト対策進む**

語り継がれる名企画

池辺陽、清家清、広瀬鎌二、増沢洵の4人の作家が'50年代に建てた名住宅を、インタビューとともに振り返る企画❺

特集「住宅の『'50年代』」[1月号]

ますます多様化する小規模複合ビル

都市機能の変化に伴って増加した小規模複合ビルが抱える実務的な問題点を初心者向けに解説

特集「小規模複合ビルのチェックポイント」[4月号]

法令用語との付き合い方

建築基準法を中心に、建築法令のキーワードを30語抽出。用語の意味と問題点を分かりやすく解説している

特集「知っておきたい建築法令用語30」[6月号]

ふりはた・ひろのぶ［1929—］1951年青山学院専門学校建築科卒業、'53年関東学院大学工学部建築学科卒業。'63年に降幡建築設計事務所を設立。元信州大学工学部社会開発工学科建築学コース非常勤講師。'80年代から民家や土蔵など数多くの再生を手掛ける。'90年民家再生の業績により日本建築学会賞受賞。

草間邸

［1982年］

降幡廣信

1982年当時、古民家は一般に廃屋と考えられ、誰からも見捨てられていた。降幡が最初に見たとき「草間邸」は、屋根が崩れかけ、雨が漏り、手の施しようがない状態だった。

「草間邸」はおよそ250年前に建てられ、150年前に増改築が行われた松本市の民家。降幡にとって初めての古民家再生の試みとなった。

降幡の仕事で目を引くのは、面積的に余剰な部分を大胆に減築する点だ。草間邸では西日を受ける1階南西の「コザシキ」およびその2階と屋根を丸ごと削り、南側からの採光を可能にしている。

水廻りなどの設備は最新のものに取り換えて北側に集約し、柱のほとんどは新材に替え、建具は元々あったものを最大限に活用。旧材は苛性ソーダで汚れを洗い落とし、新材はオイルステインを下塗りして新旧材の見た目に差が出ないような工夫を施した。老朽化の激しい瓦葺き屋根は鉄板葺きとすることで、本来の長板葺きの趣を再現している。

古民家など現代生活の器にはなり得ない、との考えに転換をもたらした降幡は、民家の再生工事を日本の伝統文化を救う方法の1つと考えている。

構造　木造2階建て　施工　山共建設

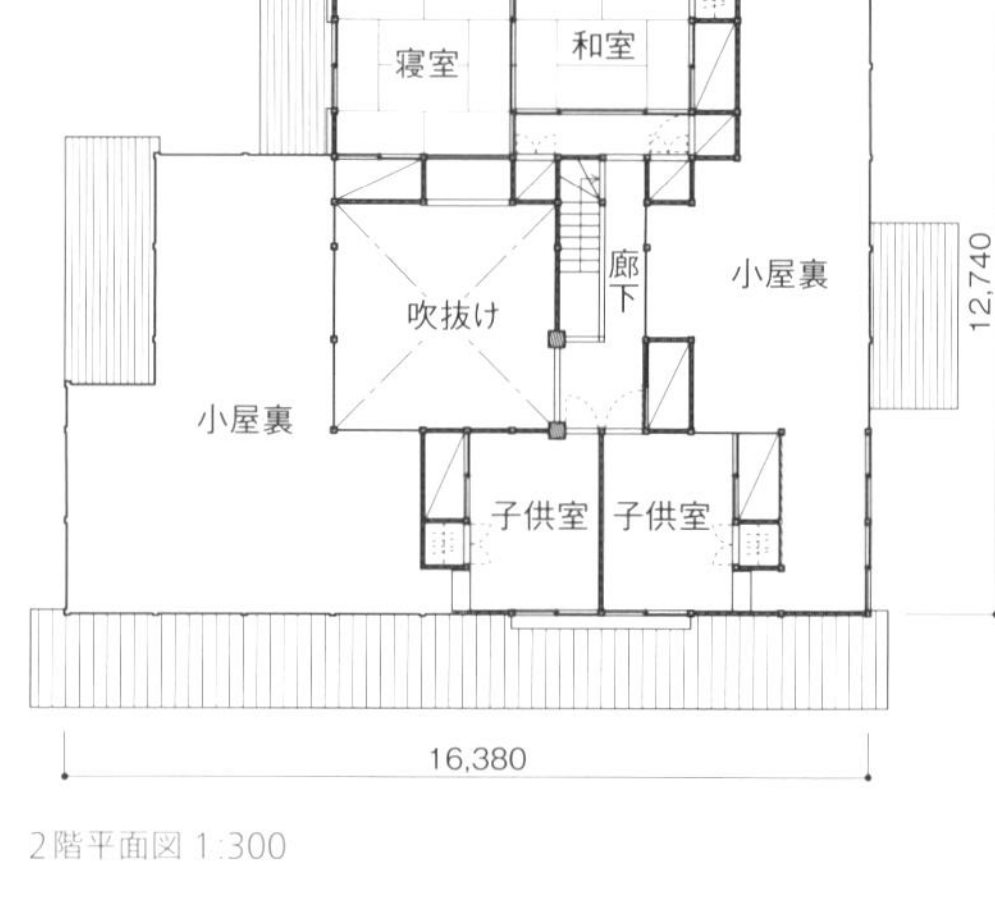

2階平面図 1:300

1階平面図 1:300

多くの方の支えがあって再生を続けてこられた。関野克（まさる）（建築家、文化財の保存に貢献）先生は、「ことによると、この方法は建築界の新しい扉を開くことになるかも知れない。そのためには道が必要です。道のない扉では、試みに終わってしまうことにもなりかねません。道をつけるように頑張ってください」と励ましてくださった。　降幡廣信

写真上：正面外観は創建当初の本棟造りらしく、内部は住みやすい「現代の日本の民家」を目指した
写真下：新しく生まれ変わった応接室。屋根からも光を取り入れる
（撮影：秋山実）

いとう・とよお［1941―］1965東京大学工学部建築学科卒業後、菊竹清訓設計事務所に勤務。'71年アーバンロボット設立（'79年伊東豊雄建築設計事務所に改称）。主な作品に「せんだいメディアテーク」（2000）など。日本建築学会賞作品賞（'86、'03）、ヴェネチア・ビエンナーレ「金獅子賞」（'02年生涯業績部門、'12年にコミッショナーを務めた日本館が受賞）、王立英国建築家協会（RIBA）ロイヤルゴールドメダル（'06）、プリツカー建築賞（'13）など受賞。

シルバーハット

［1984年］

伊東豊雄

構造　RC造+鉄骨造2階建て　施工　バウ建設

実体性の弱い仮設的な住まい

1980年代、伊東は軽やかで風のように移ろう状態があるだけの、形態をもたない変様体としての建築を目指し、建築的形式の重苦しさを取り除き、心地よい空間を追究してきた。

密集した住宅地に建てられた「シルバーハット」は伊東の自邸である。個室、ユーティリティ、キッチン、ダイニング、リビング、和室、書斎が、半外部の中庭を中心に小さな集落のように集まっている。各スペースは、RC独立柱の上に大小7つの鉄骨フレームで支える薄いヴォールト屋根を戴く。パイプやパンチングメタルが使われていることで、全体に仮設的な雰囲気をもち、軽快で開放的な空間を生み出している。

これは〝風〟の観念に依拠して「形態を感じさせない建築」を追い求める伊東の考えを具現化したもの。何がナチュラルか、何がプリミティブかを問いかける。〝揺らめきの'80年代〟を代表する「シルバーハット」のすぐ隣には、同じく伊東が手掛け、コンクリートの壁に囲まれた閉鎖的なチューブ状の住まい「中野本町の家」（1976）が建っていた。

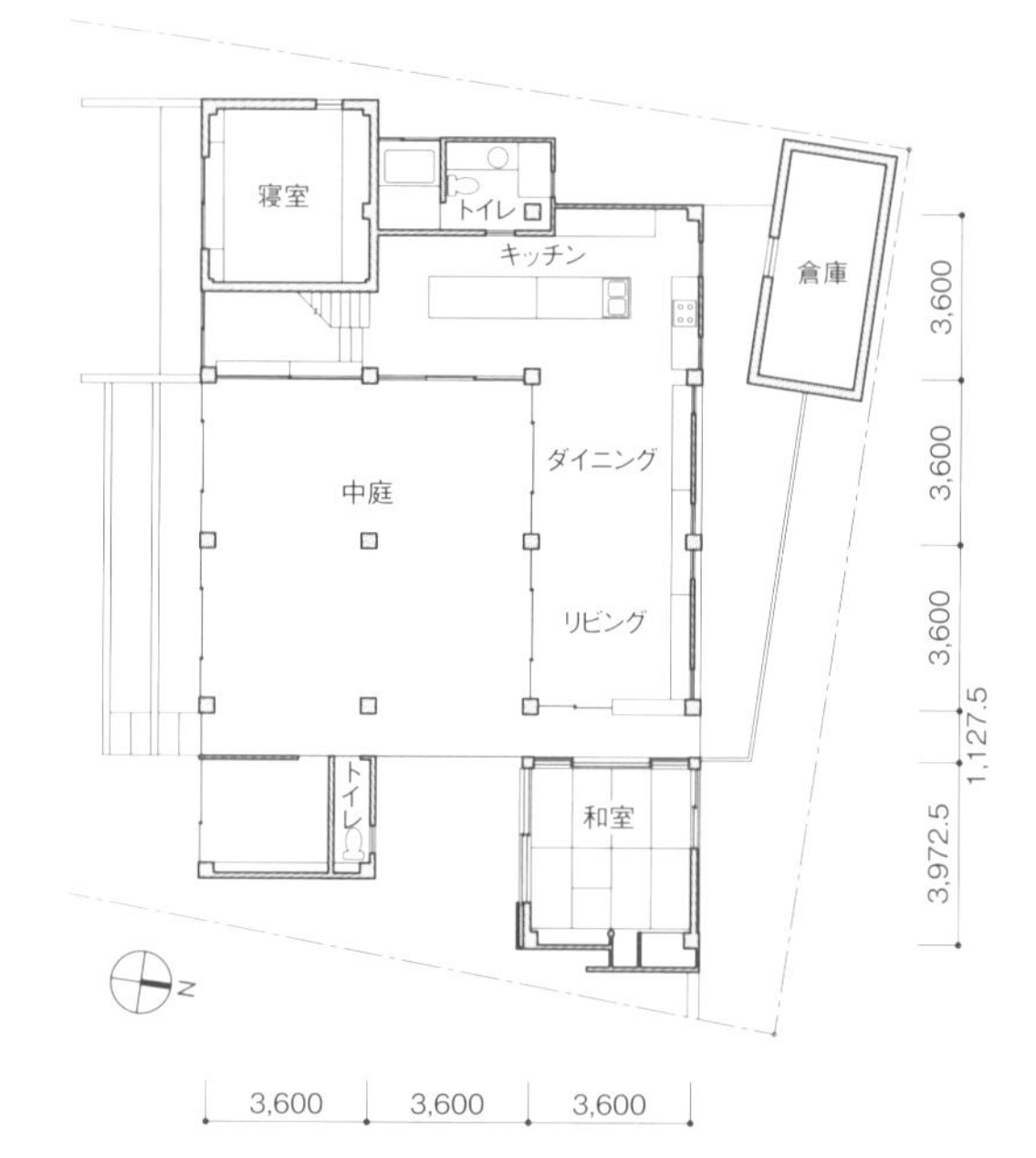

2階平面図 1:300

1階平面図 1:300

「建築知識」1984年11月号の特集「木造外壁材ハンドブック」では、伊東氏の「中央林間の家」を取り上げ、フレキシブルボードについて解説。氏は「いずれの建築においても土臭いとか、重々しいとか、余りにも尖鋭なとか、素材そのものの存在や主張が過剰に伝わってくるような素材の選択や使用方法は極力避けています」と語っている。

※「シルバーハット」は近年解体され、「今治市伊東豊雄建築ミュージアム」で再生された

写真：軽やかなアーチ屋根が架けられた中庭は居室と連続、建物全体が一体的な空間となる
（撮影上：新建築社写真部／下：大橋富夫）

こだま・ゆういちろう[1946—]1969年東京工業大学建築学科卒業。'76年同大学大学院博士課程修了。'78年から建設省建築研究所で主任研究員、室長、部長を歴任。神戸芸術工科大学教授。「パッシブ」というキーワードをもとに、研究活動・設計活動を行っている。「高知・本山町の家」で2005年グッドデザイン賞(建築・環境デザイン部門)を受賞。

つくばの家

[1984年]

小玉祐一郎

パッシブソーラーハウスのプロトタイプ

パッシブデザイン研究の第一人者である小玉が、建設省建築研究所(当時)におけるパッシブソーラーの研究成果を反映させてつくった自邸。パッシブソーラーとは、機械式冷暖房だけに頼らず、太陽光や通風などの自然エネルギーを駆使して空調を行う方法のことだ。

冬期は、床から天井まであいた南側の開口から昼間の太陽光を取り込み、グラスウールで断熱された壁式構造のコンクリート躯体やレンガタイル張りの床に蓄熱する。これが夜間に放射されることで、氷点下の朝にも14℃前後の室内温度を保つ。南側の居間の上部は吹抜けで、冬の日差しを最大限に取り込む。

夏期は、地窓から外気を取り込み高窓から排出する換気方法によって、夜間の室内冷却を行う。さらに南側に植えられたノウゼンカズラや障子が直射日光を遮蔽して、室内の涼しさを保つ。ここで小玉は、パッシブソーラーの実験住宅という言葉だけでは表現しきれない、自然との共生のあり方を問うた。

エネルギー利用に対する関心が高まる今、「つくばの家」は改めて注目を集めている。

集熱用ガラス窓：引違い戸・はめ殺し部分は、複層ガラスを使用

屋根は、コンクリートスラブの上にグラスウールを敷き、空気層(換気口付き)を挟んでALC(歩行用防水)で仕上げる

通風用北側窓：全開できるオーニング窓

蓄熱壁：コンクリート耐力壁の室内側は打放し仕上げ。外側に100㎜厚のグラスウールを張り付ける外断熱工法

通風用オーニング窓：通風量のコントロールに優れ、風雨対策、防犯にも便利

換気・排気用欄間(引違いガラス戸)

温室を兼ねた玄関風除室

夏期の日射遮断のための庇+トレリス(面格子)

外壁はコンクリート、断熱材、空気層、サイディングの4層構成。空気層の上下は外気に開放され、夏期の排熱を促進する

蓄熱床：レンガタイル仕上げ。原則として基礎断熱だが、温風床暖房部分は床面で断熱

アクソメ図

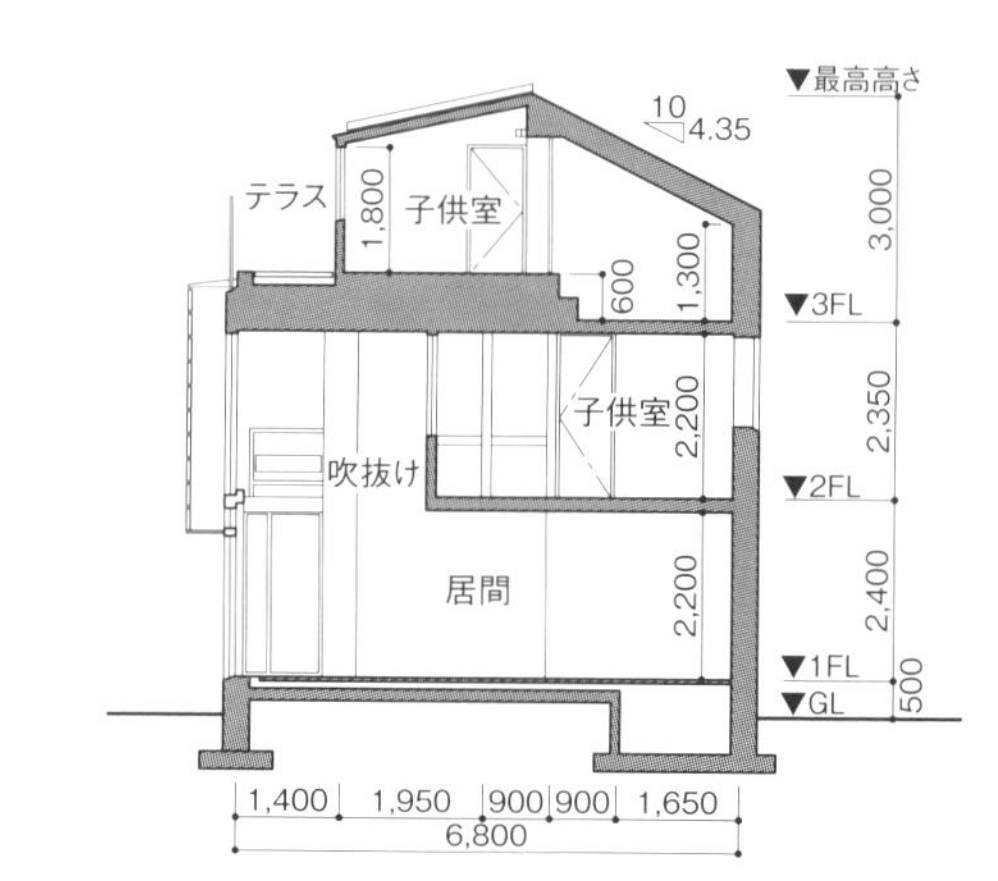

断面図 1:200

「建築知識」1978年11月号の特集「省エネルギー住宅の計画」で、建設省建築研究所時代の小玉氏は、環境コントロールの歴史から日本の風土に適した空間形成技法を踏まえたうえで、当時の建築と省エネ問題に対しパッシブ技法を提案している。

写真：南向きの窓から効率よく太陽の光や熱を取り入れる
（撮影：栗原宏光）

やまもと・りけん［1945―］1967年日本大学理工学部建築学科卒業。'71年東京藝術大学大学院美術研究科建築専攻修了。'73年山本理顕設計工場を設立。名古屋造形大学学長。コミュニケーションの場としての建築を志向し、公と私の関係性を建築で表現し続ける。

HAMLET（ハムレット）

［1988年］

山本理顕

構造：RC造＋鉄骨造4階建て　施工：中野組

一住居多家族の実践

山本は、戦後住宅史を語るうえで極めて重要な作品をつくり続けている。集落調査から得た〝ルーフ〟の概念をもとに、都市型住宅の考え方に一石を投じた自邸・複合ビル「GAZEBO（ガゼボ）」（1986）、近代家族像の問い直しと新しい住宅論の提示となった「葛飾の家」（1992）や「岡山の住宅」（1992）、そして話題性の高い数々の集合住宅など、作品は多岐にわたる。

「HAMLET」は、大きなテフロン膜の屋根に覆われた鉄骨のフレームのなかに諸室が浮かぶ形式。3世代4家族のための住まいであり、個人、夫婦、家族、さらにその家族の集合というさまざまな単位が入り組んだ構成をとる。家族という単位のさらに上位の別の単位を想定した住宅であり、〝閾（しきい）論〟の考え方とともに集合住宅の歴史に名を刻んだ「熊本県営保田窪第一団地」へと展開していく。

緩やかな地縁のつながりが崩壊してしまった現在、集まって住む住み方にこだわった「HAMLET」は、〝1住宅＝1家族〟という近代住宅の原則を問い直す契機となった。住宅は外部に対する閉鎖性をもち、その密室性が住む人たちのプライバシーのためには必須であると思い込んでいた建築界に〝気づき〟をもたらした。

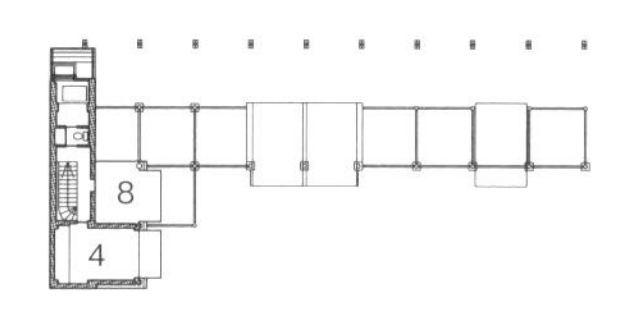

4階平面図 1:800

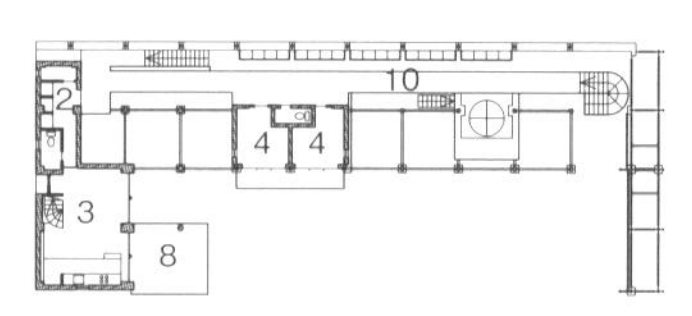

3階平面図 1:800

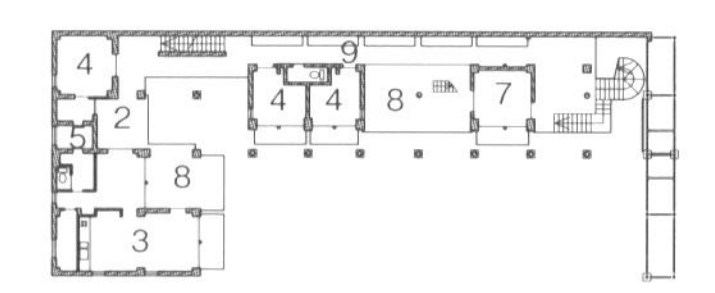

2階平面図 1:800

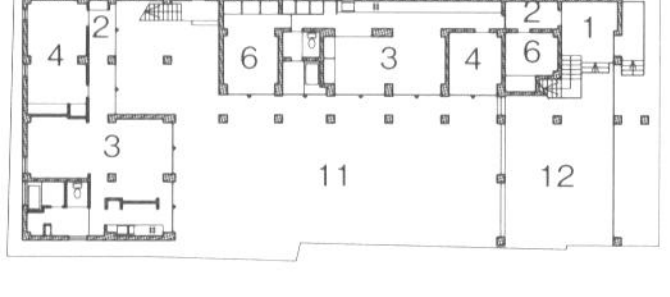

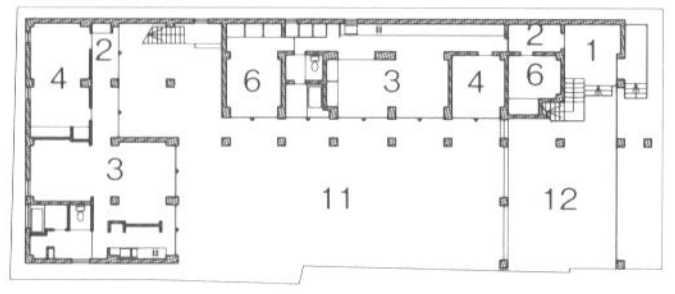

1階平面図 1:800

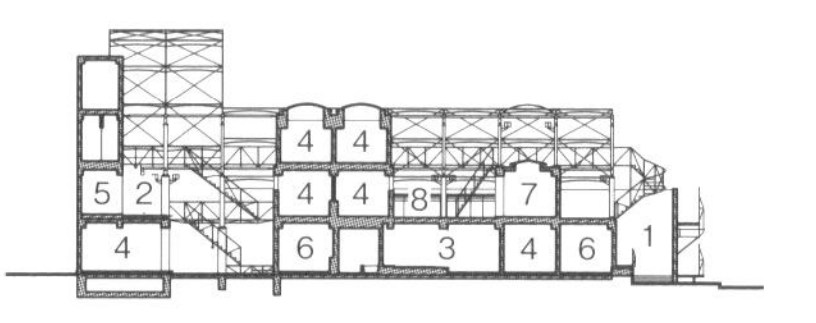

断面図 1:800

1：前庭、2：玄関、3：家族室、4：個室、5：作業室、6：納戸、7：サロン、8：テラス、9：屋外廊下、10：ブリッジ、11：庭、12：駐車場

「建築知識」1988年12月号の特集「入門［特注術］」で、山本理顕設計工場の実例を紹介。スチール素材の扱い方に焦点を絞って、ありふれた素材を用いた新しい表現の可能性を探っている。

写真:それぞれの住戸は外廊下で結ばれ、テント地の大屋根が架けられている
(提供[上]:山本理顕設計工場/撮影[下]:大野繁)

地域に拠点を置き、地域に密着した設計を行っている設計者は、どんな活動をしているのか。24年前、6人の設計者の仕事をつぶさに追い、その声を紹介した。ある設計者は「東京もつまんなくなった」といい地元に帰ったが、地元も東京も大差なく、地域性なんてないという。あるとしたら、観光地などの商品としての地域性だ、と。

interview

もう、地域性なんて無い

緒方理一郎
Riichiro OGATA

1941 熊本市生まれ
66 日本大学理工学部建築科卒業
72 緒方理一郎建築研究所設立
73 人間都市くまもと展主催
79 熊本ガウディ展主催
82 7つの住居展主催
83 デュセルドルフ日本週間建築展出品

――どんなきっかけで、ここで事務所を開かれたんですか？

緒方 大学は東京に行って、そのまま東京の設計事務所に勤めていたんですが、休みにこっちに帰った時に、本屋さんの増改築を頼まれたんです。それを東京の事務所でやろうとして、仕事を持ってくるかわりに待遇改善とかいろいろと所長に条件を出したわけ。そしたらそれが受け入れられなかったんで、じゃあもういいや、一人でやろうと(笑)。それで、熊本で事務所を開いたんです。

――その本屋さんがなかったら帰らなかった？

緒方 そうですねぇ、やっぱり帰ったでしょうね。友人がたくさんいたりして、イージーに住めるというか、住みやすいというか。

それと戻ってきた72年頃、東京がちょうど変わり始めたんだよ。東京もつまんなくなったなと。ぼくらとしては、それまでは毎日がお祭りみたいな時代が続いて、いろんなムーブメントがあったり反戦運動があったり…すごくおもしろかったんですよ。

――東京に見切りをつけた…。

緒方 事務所でも「じゃあ、おれブラジル行く」なんて同僚が行っちゃったり、「おれ、田舎帰るかなー」とか。

――それからやられた仕事はどんなものが多いんですか。

緒方 やはり、住宅が多いけど、街路計画とか、店舗とか、すごく雑多ですね。改築で水俣病の考証館をやったり、今は「くまもとアートポリス」計画の団地建替えの仕事がきているし、その打ち合わせで、熊本と東京の間を行ったり来たりしてますよ。

――そういったなかで、これが熊本だというような地域性の濃いものはあるんですか。

緒方 どうでしょうね、地域性というのはあまりないんじゃないかな。

――例えば、材料とか気候とか…。

緒方 地場材はあるけど質がよくないんですよ。だから、基本的には外材ですね。夏が暑いとか、集中豪雨はあるから注意はしますけど、とりたてて特徴とまではいえないでしょう。風土じゃなくて、中央にくらべて経済力が弱いとか、その経済が現代を決定してるでしょう。

それよりも、今はどこへ行っても問題の本質は同じですよ。情報メディアが発達していて、同じようなことをみんな知っているし。ただ、情報というのは肉感的ではなくて、直接人と会うのに比べれば弱いという気はするけどね。

建築だって、昔はモノとしての建築はハードという言われかたをしたんでしょうけど、今やハードとソフトの中間みたいな存在でしょう。イメージと一体化してとらえられていて、何が本質かわからない。

――ファッション化しているというか？

緒方 それと人間関係が希薄になっているのは東京だけじゃなく、熊本だってそうなんです。基本的に人間関係を結ぼうという気はみんなないでしょう。煩わしいというほうが多いのが今の状況ですよ。生活感は希薄で、守る形もあるわけじゃない。何が生活の本質かと考えるんだけど、もうすでに本質は見失ってる。というか、本質なんてない。

だから、地域性とか地方性というのも既に消し飛んじゃってるんですよ。実際、地方性が何かあるかと思って周りを観察してみても見つからないもの。逆にそれに反比例して商品としての地方性はあるけどね。

――それは、仕事をされるなかではどういったこととしてあるんですか。

緒方 人吉は山の中にある温泉地で、そこの商店街の街路計画に参加しているんですけど、最初の段階で、観光地だから倉敷み

熊本市内「上通」の横道には軒低の小さい商店が点在している

熊本市内の中心街である「上通」の横道には小さな商店、住居、緑などが混在しているが、形態・色彩が様々の新しい商業建築やブティック、マンションが最近になって建ちだした。細い道をはさんで仕舞屋のむこうに見えるのはブティック、レストランなどがテナントの複合商業ビル(右)。木造住宅の背後には店舗が組み込まれたカラフルなマンションがそびえる(左)

たいにしなきゃだめかなとか、逆に銀座とか渋谷のイメージがいいかといった話がでるんですよ。ぼくはそんなのやめろと言ったの。まして人吉風なんておかしい。それよりも歩くのに危険がない道、照明がちゃんとして夜でも安全とか、緑がある、疲れたらベンチで休めるとか、そういうことのほうが大事だろうと。

だから、地方性といったものは演出としてはあるだろうが、それ以外は意識しないほうがいいと思う。最近はむしろ、地方性とかあるいは人間性といったような固有のものがあるんだとしたら、逆説的な表現ですが、切り詰めてよけいな粉飾をそぎ落としていくという作業の中で、削っても削っても残っていくものにあるのかもしれないという気はしているんです。

人間関係にしても、人に会わないほうがいいと最近思い始めたね。電話やファクスで済むならできるだけそれで済ませて、本当に必要に迫られて会ったときに、初めて温かみを感じるのかもしれないという期待感はありますね。

——住宅などやられて、人間関係についてはどう感じるんですか。

緒方　住宅に限りませんけど、こちらでやっていると、ボクと施主との関係は日常的につながってくるんだよね。「宴会やるから来ないか」とかね。そこは都会とは違うところかもしれないですね。だから、人間関係を活性化する、結ぶための媒体としての仕事、職業、作品になってるね。結果的に見ると住宅というものがぼくの生活のサイクルのひとつになっていて、「作品」という突出したものにならない。本当は雑誌に載るような「作品」にしたいとはおもいますけど。

仕事の中には大学の講師というのもあって、これもけっこうおもしろいですね。

——建築学科ですか。

緒方　県立女子大の住居学コースなんです。わりに活気があって、市内の上通商店街の横道にカフェテラスを計画するという課題を出しています。自分達で敷地を計ったり、模型を創ったり、いろいろ個性的なものが出てくる。その結果を春休みには敷地の近くのビヤホールで街の人達に発表展示するんです。それで、街の人達と交流を図ろうというわけだけど、そういうことも、ぼくの生活サイクルのなかにはいっていますね。ただ、担当するクラスの75%の学生が県外出身者であって、地方の大学にも地域性はすでに無いのですよ。

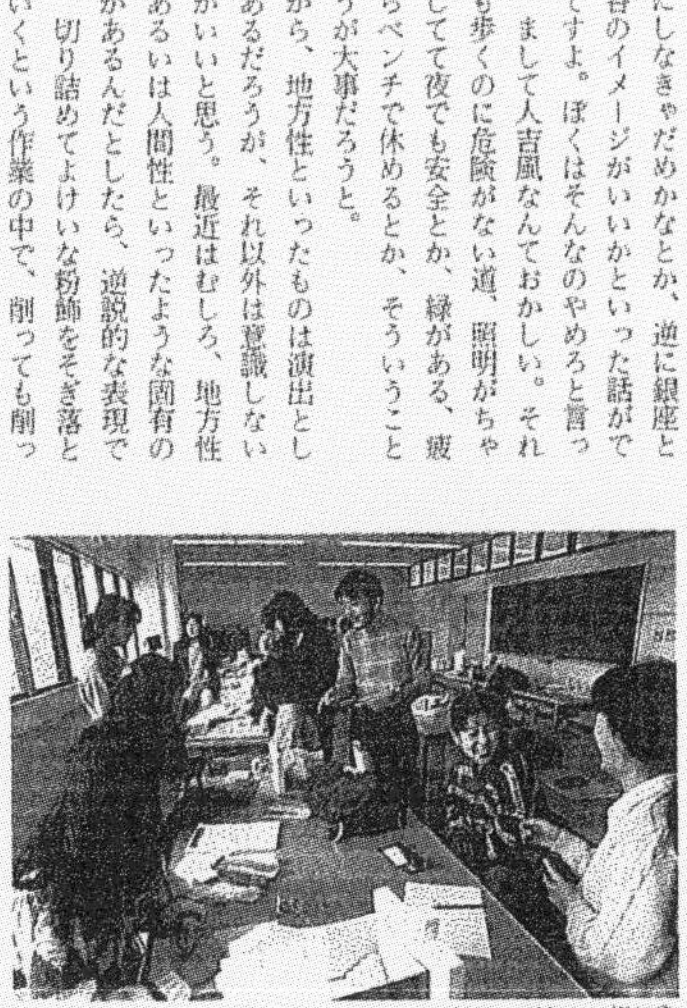

住居学コースの授業。春休みに街で発表展示が行われる(写真提供=著者)

1990年代

時代の総括

バブル崩壊と住意識の変貌

公団から民間へ

1990年にバブル経済が崩壊した後、日本経済は慢性的な不景気の時代に突入した。この時期には住宅の工業生産化が進行し、住宅を建設するための材料や部品のほとんどすべてが工業製品となった。**岸和郎**の「日本橋の家」（1992）は大阪下町の店舗併用住宅であり、すべてが工業製品によってつくられている。同様に**難波和彦**の「箱の家」シリーズも、工業化と商品化を念頭においた住宅として多くの賛同者を得たロングセラーとなった。

集合住宅に目を移すと、日本住宅公団が'80年代をもって役割を終え、集合住宅の建設は民間のディベロッパーを中心に行われるようになった。また、都市型集合住宅のハード・ソフト両面に関し、建築家が参画しての積極的な提案や実験が行われた。熊本県に端を発した公営住宅への建築家の参画もその例である。'80年代のHOPE計画（地域住宅計画）をきっかけとした地域型ハウジングの実現や、建設省による「中高層ハウジングプロジェクト」では、コンペで選定された大手ゼネコン、ディベロッパー、鉄鋼メーカー、地方ゼネコン、プレファブメーカーなどによる開発研究が積極的に進められた。そうしたなかでも極めつけは、大阪ガスが社宅として提案した実験集合住宅「NEXT21」（1993）である。そこには省エネルギー、省資源、環境共生、スケルトン・インフィル、そしてソフト面での提案など、現代の住居にかかわるさまざまな提案が含まれている。

サスティナブル・デザインの追求

'90年代は地球環境問題が浮上し、全世界的にエネルギー問題が注目されるようになった時代でもある。その結果、省エネルギー化と長寿命化をテーマとするサスティナブル・デザインが追求されるようになった。この動向は2000年代以降も大きなテーマの

1つとなっている。工業化や規格化が急激に進行する一方、その対極として建築界のみならず社会一般からも注目を集めたのが、建築史家であり建築家としての設計活動を始めた**藤森照信**による

自然派の建築である。文芸雑誌「ユリイカ」で特集が組まれたことも珍しい。自然素材と手づくり感覚が最大の魅力であるが、その創作姿勢そのものが現代建築への痛烈な批評となっている。

「建築知識」バックナンバーに見る［建築］の歴史

1990年代

バブル崩壊と住意識の変貌

'93年1月号
「実務者のための
建築現場用語辞典」

これであなたも現場好き！

現場でサブコンや職方がよく使う言葉から、分かりにくい用語を工事別に厳選。豊富な図版や写真資料で解説 ❷

特集「実務者のための建築現場用語辞典」［1月号］

Jw-cadを徹底解説！

パソコンが普及し始めた'90年代初頭、製図もCAD化が始まった。この号ではJw-cadについて解説。建築専門誌初の“フロッピーディスクJw-cad実用版”付録付き

特集「すぐに始めるCAD製図」［6月号］

本稿掲載作品

建築にまつわる出来事

1990年

- **消防法施行令改正**
  スプリンクラーの設置基準の強化
- **新設住宅着工戸数、約17万戸**

1991年

1992年

- **建築基準法改正**
  防火地域、準防火地域以外で一定の技術基準に適合する木造3階建て共同住宅が建設可能となった
- **大規模小売店舗法**（大店法）**改正**
- **借地借家法改正**
- **住宅の省エネルギー基準改正**（新エネルギー基準）
- 野沢正光「相模原の住宅」
- 岸和郎「日本橋の家」
- 坂本一成「コモンシティ星田」

1993年

- **北海道南西沖地震**（最大震度6、M7.8）
- 内田祥哉ほか「実験集合住宅NEXT21」

1994年

- **建築基準法改正**（住宅地下室の容積緩和）
- **高齢者、身体障害者等が円滑に利用できる特定建築物の建築の促進に関する法律**（ハートビル法）**施行**
- 秋山東一「フォルクスハウスA」

イベントホール設計の必携版！

パフォーマンス、音楽、展示などに対応する多機能ホールを中心に、ソフト計画から床、天井、照明、音響まで設計上の要点を解説 ❶

特集「多機能イベントスペースABC」［2月号］

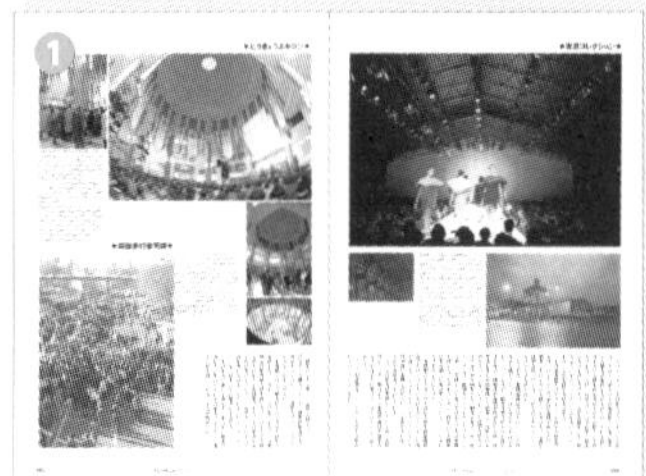

'90年2月号
「多機能イベント
スペースABC」

和風の用語を完全網羅！

木材の種類や左官仕上げの表面の質感など、分かりにくい「和風」の用語を解説

特集「材料から架構・継手仕口・造作仕上げ・コストまで 和風まるごと用語辞典」［6月号］

金属屋根を納める

設計者が知っておくべき金属屋根工法選択の条件と納まりのポイントを解説するとともに、板金職人の仕事も紹介

特集「デザイナーのための金属屋根設計術」［9月号］

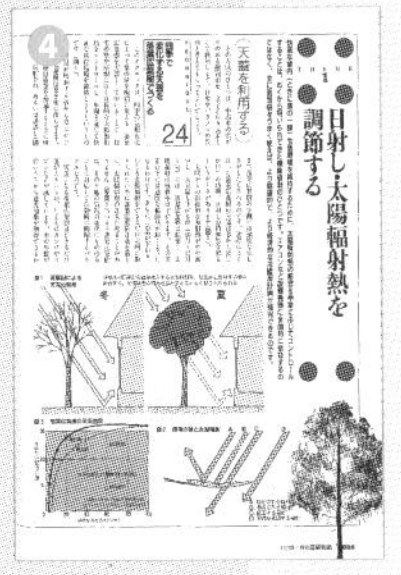

'96年3月号
「効く植栽 91のテクニック」

'95年3月号「兵庫県南部地震による建物破壊について」

兵庫県南部地震の衝撃

1月17日、近畿地方を襲った兵庫県南部地震を2カ月連続で特集。引き起こされた甚大な被害から在来木造住宅の耐震性などについて検証した❸

緊急企画「兵庫県南部地震による建物破壊について」［3月号］「座談会・兵庫県南部地震と在来木造住宅」［4月号］

機能する植栽のススメ

戸建住宅のアプローチ、集合住宅の外構全体など、そこにはどんな植栽が求められるのか。植栽手法の数々をオールカラーで一挙公開❹

特集「効く植栽 91のテクニック」［3月号］

1995年

- **兵庫県南部地震**（最大震度7、M7.3）
- **地下鉄サリン事件**
- **建築基準法改正**
  接合金物などの使用推奨が盛り込まれた
- **建築物の耐震改修の促進に関する法律**（耐震改修促進法）**施行**
  新耐震基準を満たさない建築物について積極的に耐震性を診断し、危険と判断された建築物への耐震改修を促進することが目的

◆難波和彦「箱の家001（伊藤邸）」

1996

1997年

- **消費税率5%に引き上げ**
- **京都議定書の採択**

◆藤森照信「ニラハウス」
◆木原千利「懐風荘」

1998年

- **長野オリンピック開催**

1999年

- **環境影響評価**（アセスメント）**法施行**
- **住宅の省エネルギー基準改正**（次世代省エネルギー基準）

◆アトリエ・ワン「ミニハウス」

数寄屋住宅の世界

木割りなどの寸法体系から材料の選び方、納まりなど数寄屋を設計するための"手がかり"を分かりやすく解説❺

特集「西の匠に学ぶ数寄屋の作法」［6月号］

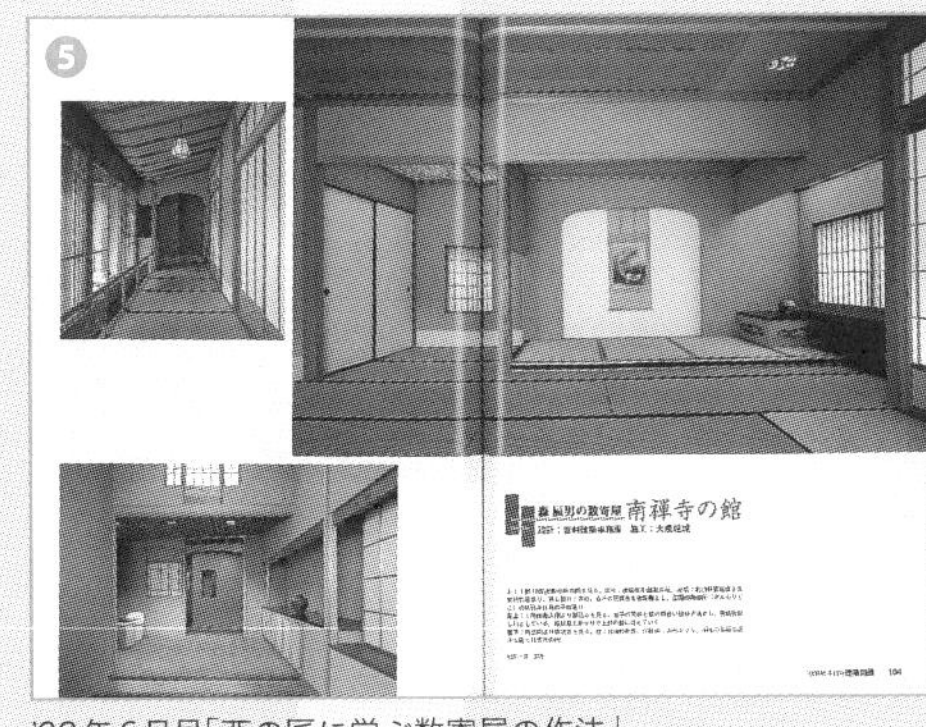

'98年6月号「西の匠に学ぶ数寄屋の作法」

のざわ・まさみつ［1944―］1969年東京藝術大学美術学部建築科卒業後、'70年大高建築設計事務所へ入所。'74年野沢正光建築工房を設立。横浜国立大学非常勤講師。長年パッシブデザインに取り組み、環境共生建築の分野で活躍。代表作に「阿品土谷病院」（'87）「いわむらかずお絵本の丘美術館」（'98）「立川市庁舎」（2010）「熊本県和水町立三加和小中学校」（2013）など。主な著作に『パッシブハウスはゼロエネルギー住宅』（農文協）『住宅は骨と皮とマシンからできている』（農文協）など。

相模原の住宅
［1992年］

野沢正光

構造　鉄骨造＋一部ＲＣ造地下1階・地上2階　施工　円建設

樹木と工業製品と太陽熱

ＯＭソーラー（空気式太陽熱利用システム）の前身である「ソーラー研」時代からＯＭソーラーシステムの開発に携わり、太陽光エネルギーの利用、建築と環境設備との関連について考えてきた野沢は、環境共生建築分野の第一人者だ。ＯＭソーラー自体は建築家の奥村昭雄が考案し、その後、さまざまな改良が加えられ、今日では太陽光エネルギーを利用するパッシブソーラーシステムの1つとして広く普及している。

「相模原の住宅」は野沢の自邸である。既存の樹木を残すために建物の配置をコの字形として、南棟と北棟の2つの屋根にＯＭソーラーを設置。構造は鉄骨造で、蓄熱地下室のみＲＣ造。さまざまな工業製品を積極的に採用するなど、太陽と自然（樹木）と人工物との複雑な関係性が不思議な魅力を生み出している。

ＯＭソーラーというシステムに縛られることなく建築的可能性を追求した作品といえる。

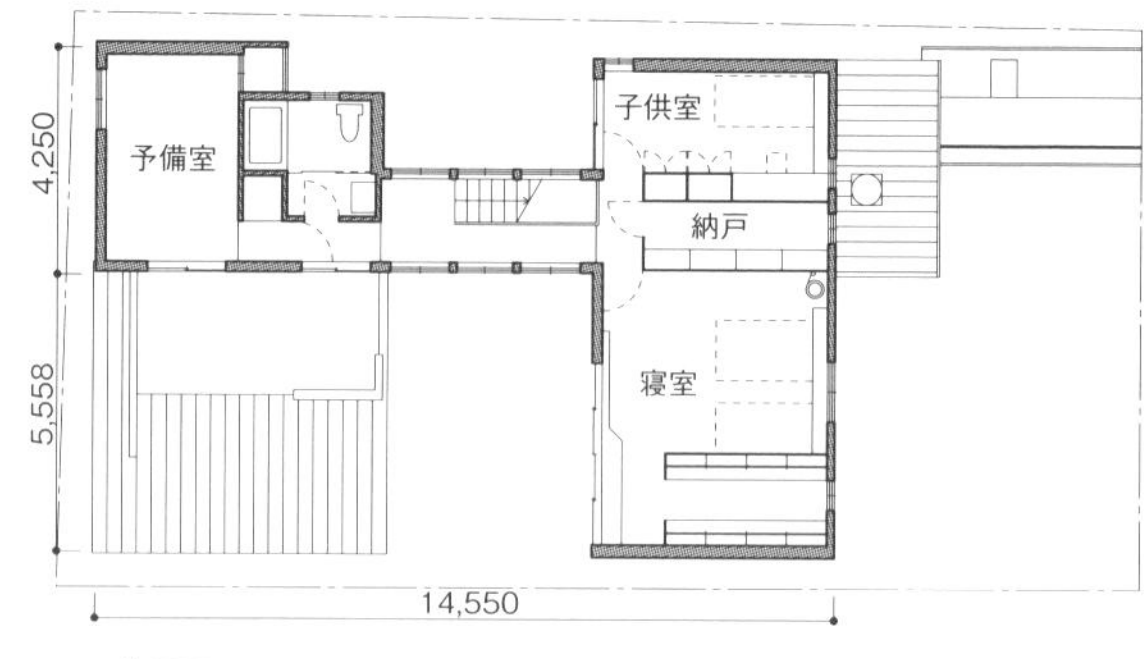

2階平面図 1:300

玄関
食堂
ガレージ
居間
9,808
20,750

1階平面図 1:300

6,430
4,550
3,000

地階平面図 1:300

「建築知識」300号の記念号であった1983年7月号の特集「原点としての設計スピリッツ」では野沢氏に大いに協力いただいた。戦後建築としての'50年代建築を検証し、新しい時代へとつないでいく節目の企画となった。また、'89年1月号の特集「住宅の［'50年代］」では、氏が清家清にインタビューを行っている。

写真上：屋根にはOMソーラーシステムが設置されている
写真下：居間の天井は、部分的にはずしてメンテナンスのしやすいキャンバス地
（撮影：藤塚光政）

きし・わろう[1950―]1973年京都大学工学部電気工学科卒業。'75年同大学工学部建築学科卒業。'78年同大学院修士課程を修了。'81年岸和郎建築設計事務所を設立。京都芸術大学大学院教授。京都大学名誉教授、京都工芸繊維大学名誉教授。'96年「日本橋の家」で日本建築学会賞を受賞。'90年代、鉄骨を使った作品を数多く手掛けていた。

日本橋の家

[1992年]

岸 和郎

構造：鉄骨造4階建て　施工：大種工務店

工業製品によるモノクロームな世界

地上の喧騒から離れて浮遊する生活空間を最上階にもち、しかもそれが自然に接したものであること。これが「日本橋の家」の主題と岸は言う。

鉄骨造4階建てで間口2.5m、奥行き13m、高さ14・05mの縦長でスリムなビル。1階は店舗、2階から4階までが住居。大阪の町家の伝統を現代に生かし、鉄骨と工業製品でつくられた新しい町家の提案として、大阪の下町の狭小敷地に建つ。

構造体をすべて露出し、半透明のスクリーンとガラス面で構成し外観は軽快で、夜間には美しい光が周囲を照らす。通りに面して設けられた階段室が、賑やかな街路と住居部分との緩衝帯となる。1階から3階までの天井高さを法定高さぎりぎりに抑えることで、4階部分に天井高さ6mのダイニングルームが設けられる。ここは奥行き13mのうち3分の1が屋内で、3分の2が屋外テラスである。

「日本橋の家」のように、入手しやすい工業製品を組み合わせてつくるその土地固有の建築は、その後、都市住宅の1つのかたちとなった。

テラス　リビング・ダイニング
205　2,500　205
4,000　2,250　2,250　4,500
13,000

4階平面図 1:250

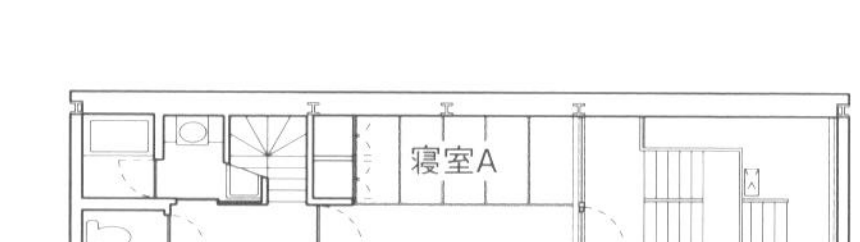

3階平面図 1:250

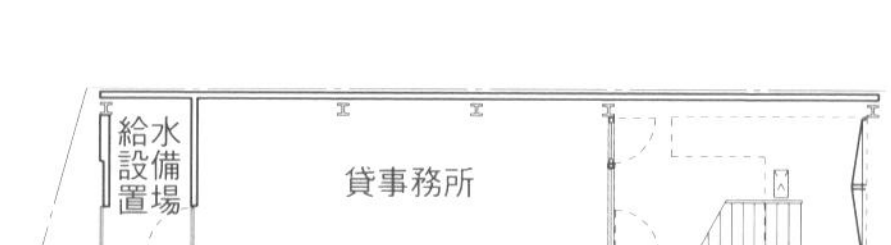

2階平面図 1:250

給水設備置場　貸事務所

1階平面図 1:250

13,800
13,000

断面図 1:300

写真：間口の狭い敷地だが、奥行き方向と垂直方向に伸びていく空間をもつ（撮影：平井広行）

さかもと・かずなり［1943―］1966年東京工業大学建築学科卒業。在学中に清家清、篠原一男に学ぶ。東京工業大学名誉教授。アトリエ・アンド・アイ坂本一成研究室主宰。'70年代後半から「家型」というキーワードで緩勾配の切妻屋根を特徴とする住宅を立て続けに発表した。「コモンシティ星田」で村野藤吾賞を受賞。

コモンシティ星田

［1992年］

坂本一成

スロープでつながる戸建住宅

構造 RC壁式構造+鉄骨造2階建て　施工 前田建設工業

坂本は東京工業大学を拠点に、プロフェッサーアーキテクトとして研究と実践にもとづく新しい建築像・住宅像に挑戦、その思想や、精度の高い方法論は常に建築界の注目を集めてきた。

「コモンシティ星田」は、建築の構成原理をさらに都市的スケールにまで展開した作品で、大阪府が主催したコンペの当選案。なだらかな北斜面の敷地2.6haのなかに、112戸の戸建分譲住宅と集会室とが並ぶ。

地形を生かしたスロープ造成が施された斜面に住戸が分散配置され、その周りを道路や緑道、水路などが巡る。集会場や中央広場をつなぐ歩行者のための中央緑道が敷地を対角線状に貫き、そこから枝分かれするように住戸がつながっていく。住戸タイプは50種類に及んだ。住戸の1階は擁壁を兼ねたRC造、2階は軽量化を考慮した鉄骨造で、隣家との関係性から専用庭もとられている。

坂本が「コモンシティ星田」で実践した〝まちの建築〟は、新しい住宅と街のあり方、共有空間のもち方を提案し、その手法はかたちを変えながらも建築界のなかに広まっていった。

配置図 1:600

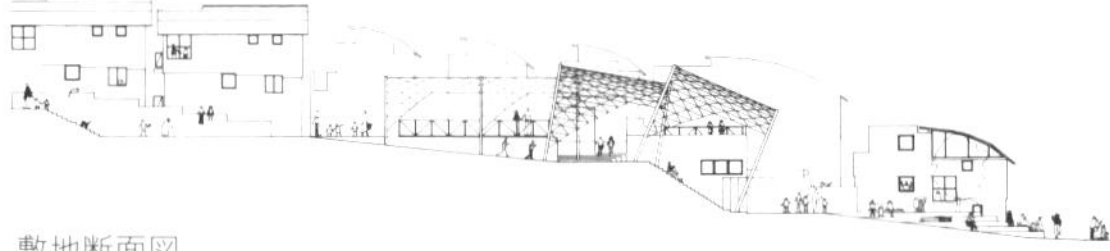

敷地断面図

写真：地中電線で景観に配慮した街並みを形成
（提供：アトリエ・アンド・アイ）

実験集合住宅 NEXT 21
［1993年］
内田祥哉ほか

うちだ・よしちか［1925―］1947年東京帝国大学第一工学部建築学科卒業後、逓信省入省。電気通信省を経て、日本電信電話公社建築部に勤務。東京大学名誉教授。建築構法計画学の確立と普及に尽力し、20世紀後半における建築生産と建築学の発展に大きく寄与した。金沢美術工芸大学客員教授、工学院大学特任教授。

構造　RC造+SRC造地下1階・地上6階建て　施工　大林組

スケルトン・インフィルの実験集合住宅

内田はモデュラーコーディネーションやフレキシビリティーの備わった多数の〝使い続けられる建築〟をデザインしてきた。

「ゆとりのある生活と省エネルギー・環境保全の共存」をテーマとした実験集合住宅もその1つ。長寿命を目指し、構造躯体と内装や設備を分離する二段階供給方式を想定し建設された。住戸の外壁も規格化・部品化され、移動や再利用を可能にしている。また、環境への配慮として、家庭用燃料電池コージェネレーションシステムの実証、住棟緑化による自然との共生、生ごみ処理システムによる廃棄物の再資源化なども試行した。

設計は、当時明治大学教授だった内田が中心となり、まず住棟設計者によるスケルトン設計を行った。その後、複数の住戸設計者によって18のライフスタイルに対応する住戸が提案された。一般公開の後、大阪ガスの社員が実際に住んでデータを採集、その分析結果と成果が発表された。スケルトン・インフィルの先駆けともいわれる「NEXT 21」。21世紀の都市型集合住宅のあり方をいち早く提案したものといえる。

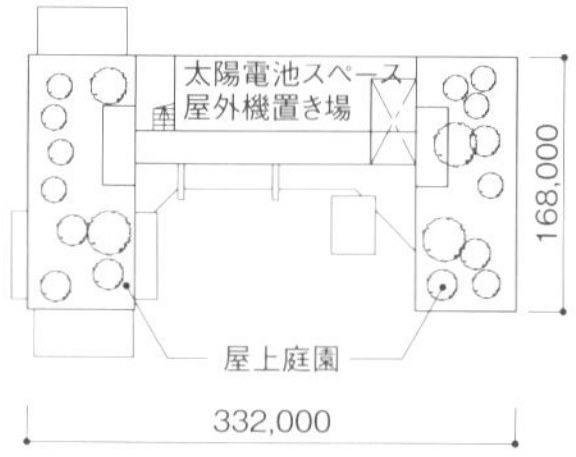

屋上階平面図 1:1,000

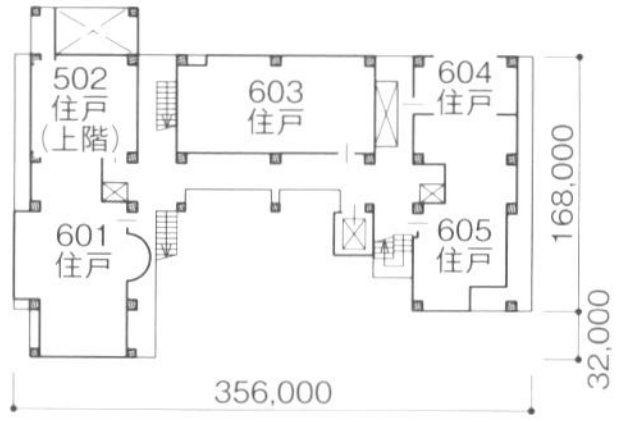

6階平面図 1:1,000

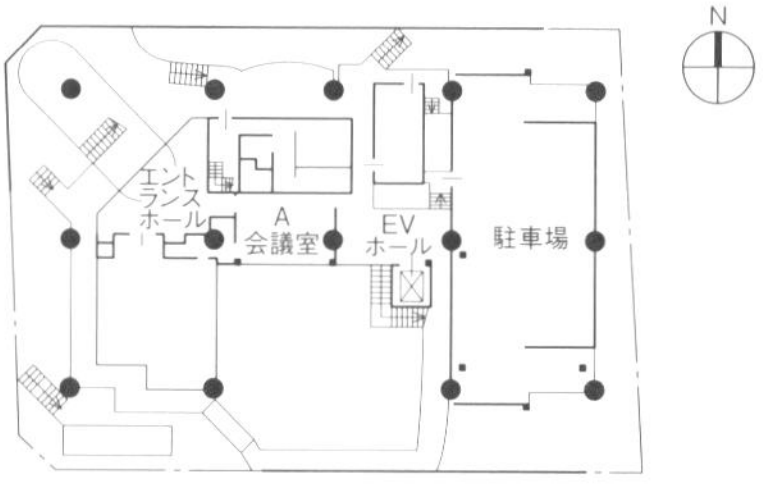

1階平面図 1:1,000

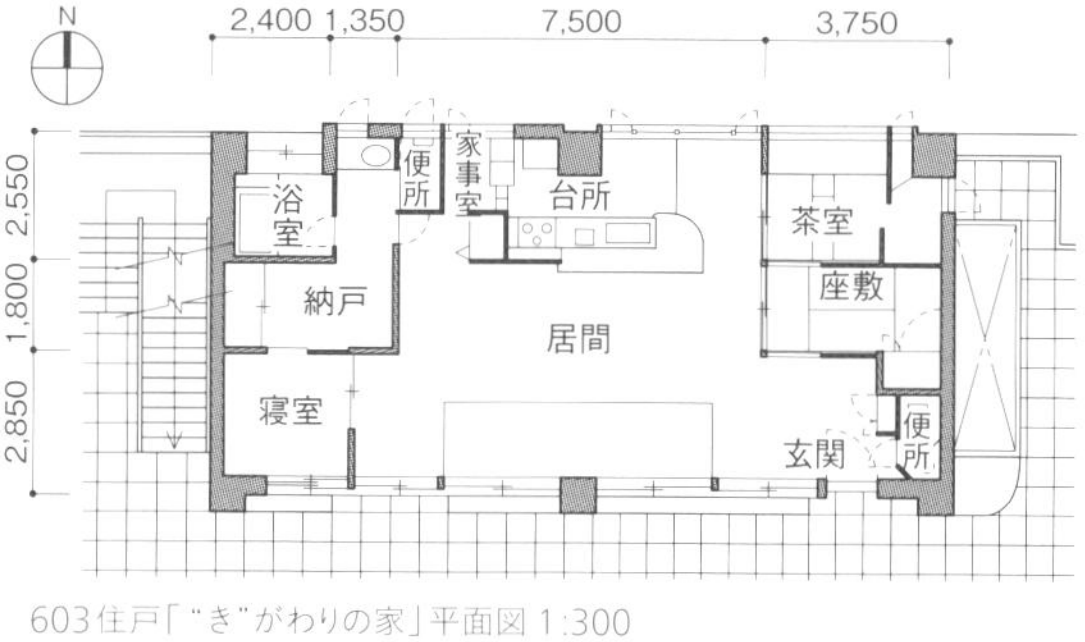

603住戸「“き”がわりの家」平面図 1:300

写真：屋上だけでなく、各階のテラス、中庭、外構などいたるところに植栽を設ける。写真は2005年頃に撮影したもの（提供：大阪ガス）

あきやま・とういち［1942―］1968年東京藝術大学美術学部建築科卒業。東孝光建築研究所を経て、'77年ランド計画研究所(現・ランドシップ)を設立。OMソーラー協会(現・OMソーラー)とOM研究所の設立に伴い、研究所設立メンバーの1人として参加。OMソーラーの住宅を数多く設計。「VOLKS HAUS(フォルクスハウス)」は、登場以来これまでに日本各地で3,500棟以上つくられている。

フォルクスハウスA

［1994年］

秋山東一

構造　木造2階建て　施工　OMソーラー直営方式

木造軸組パネル工法が生んだ新潮流

秋山は本質的価値のある合理的な住宅の姿を、ＯＭソーラー協会と開発した「フォルクスハウス」を通して具現化した。

「フォルクスハウス」では、工場生産された部材で組み立てる木造軸組パネル工法を採用。柱梁の軸組には、ホワイトウッドの集成材、新しく開発された仕口金物、構造用合板両面張りの内側に断熱材を充填したパネルを用い、耐震性能と気密性能・断熱性能に優れる構造躯体を道具立てしてみせた。基本寸法はメーターモジュールで、最大スパンは4m。階高は2.4mと2.6m、屋根勾配は5寸と10寸の2種類。構造計算にもとづいてあらかじめ用意された「箱」と「下屋」の組み合わせによる自由設計を可能にした。

秋山は、工業化・標準化を志向するこうした開発の過程で、設計・生産システムの重要性に着目、家づくりの新たな可能性を確信する。進化型である「Be-H@us(ビーハウス)」では、セルフビルドにも対応すべく、部材の価格とマニュアル、設計支援ツールまでWeb上に公開し、オープンでフリーな家づくりへの航路を照らしている。

12,000　4,000　4,000　4,000　6,000　2,000　4,000　1,100　バルコニー

2階平面図 1:250

12,000　1,800　2,000　2,000　2,000　2,000　6,000　4,000　食品庫　玄関　デッキ　厨房　デッキ　4,000　4,000　12,000　500

1階平面図 1:250

「建築知識」1985年7月号〜'86年8月号にかけて「秋山東一のストックテーキング」という連載をお願いした。第5回('85年11月号)では、当時、氏が所有していた'70年型のフォルクスワーゲン(空調装置なし。快適さからはほど遠い。しかし単純で明快なクルマ)を取り上げ再評価。快適な設備が目白押しの現代の住宅に疑問を投げかけた。

写真：外壁上部はカラーガルバリウム鋼板小波、下部は窯業系サイディングのリシン掻き落とし。
2種類の材料を使い分けることで、シンプルだが引き締まった印象となる（提供：OMソーラー）

なんば・かずひこ［1947－］1969年東京大学工学部建築学科卒業後、'74年同大学大学院（東京大学生産技術研究所・池辺陽研究室）博士課程を修了。'77年一級建築士事務所界工作舎を設立。東京大学名誉教授。最低限必要となる性能を最小限のコストで達成するという条件から始まった「箱の家」は、現在までシリーズ化されている。'98年住宅建築賞、2004年JIA環境建築賞を受賞。'14年建築学会賞業績賞受賞。

箱の家001
（伊藤邸）
［1995年］
難波和彦

構造　木造2階建て　施工　西田建設

工業化と商品化

難波は「箱の家」シリーズで、単純な箱形のなかに都市住宅としての複雑な条件を統合する試みを続けている。デザインテーマは部材やプランの「標準化」に始まり、軸組や工法などの「多様化」、アルミエコハウスなどの「温熱環境」、さらに住宅やパーツの「商品化」と変遷してきた。

「箱の家001」は、夫婦と3人の子ども（男2人、女1人）のための住宅。居間を中心とする約100㎡の開放的な立体空間で、庇を支える鉄骨の列柱が南側前面に並ぶ。テラスハウスのモデルを想定しているため、東西の窓は最小限に抑えられ、南北からの採光と通風を考慮して設計された。内部は間仕切がほとんどなく、家族の一体感が得られる。子供用スペースは吹抜けを通して居間に開かれ、居間は庭を通して街路に開かれている。

メンテナンスが容易な建築材料を選び、構造および工法を単純化、必要最小限の設備としたうえ、さらに材料の無駄を省いて工事を容易にするなど、工業化と商品化への積極的な取り組みを見せた。なにより「箱」というネーミングが多くの設計者の心をとらえた。

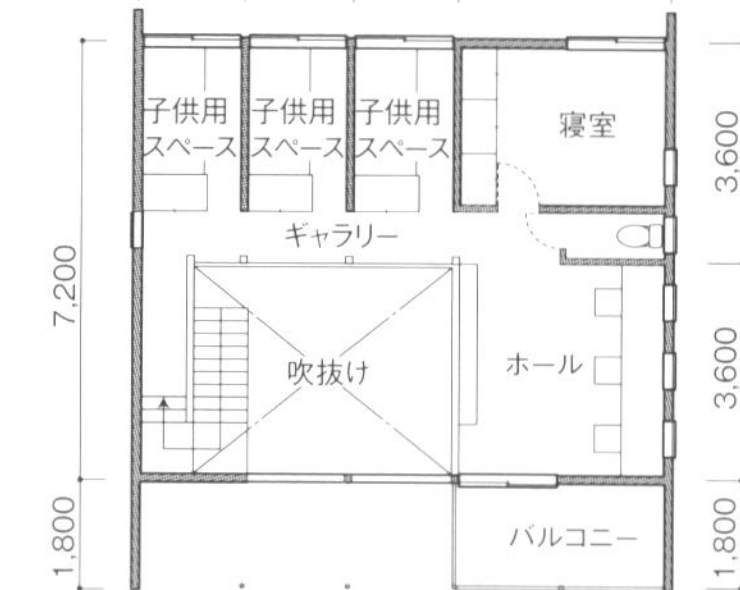

2階平面図 1:250

1階平面図 1:250

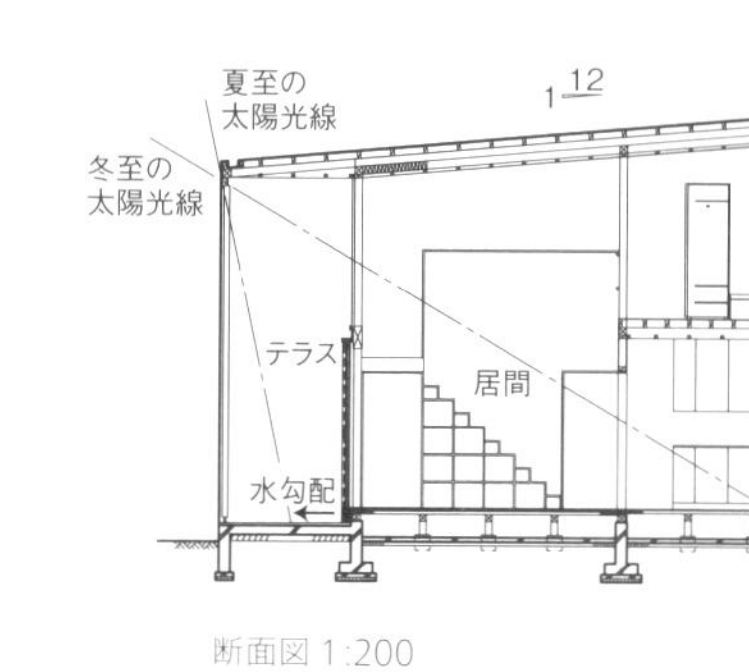

断面図 1:200

写真：南側に大きく開いたプラン。1.8mピッチに分割されたファサードは、内部空間にも
寸法体系として投影されている（撮影：平井広行）

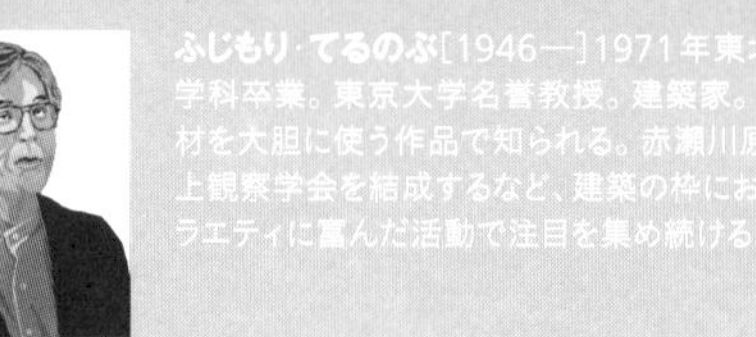

ふじもり・てるのぶ［1946―］1971年東北大学工学部建築学科卒業。東京大学名誉教授。建築家。建築史家。自然素材を大胆に使う作品で知られる。赤瀬川原平、南伸坊らと路上観察学会を結成するなど、建築の枠におさまらない、そのバラエティに富んだ活動で注目を集め続ける。

ニラハウス

［1997年］

藤森照信

構造：木造2階建て　施工：高尾建設

自然素材×現代住宅

ユニークな設計活動でも注目を集めている藤森による自然派の住まい。アバンギャルドの芸術家・赤瀬川原平の住宅兼アトリエ。民家で見られる〝芝棟〟に影響されて始まった「植物と建築の共存」による建築緑化の試みで、藤森自邸「タンポポ・ハウス」（1995）に続く作品。

道路面より1階分下がった敷地に大きな切妻を架けた木造2階建て。内外ともにベイマツの板張り、室内の壁の目地には漆喰が詰めてある。板張りの大きな屋根には、乾燥と日照に強いニラを、カップに入れて植え込んだ。

自然素材や職人技術への関心に裏付けられた藤森建築の存在感は、今日の建築のあり方そのものやそのつくられ方に対し、強烈な批判と根源的なメッセージを投げかける。

藤森の「タンポポ・ハウス」「ニラハウス」は屋上緑化の概念を広げた建築ではあるが、現在多く見られる屋上緑化のように防水などがなされたものではなく、建築物への「寄生」というかたちで緑化を試みた例といえる。しかしながら、建築に植物を大胆に取り入れたことは、多くの設計者の度肝を抜いた。

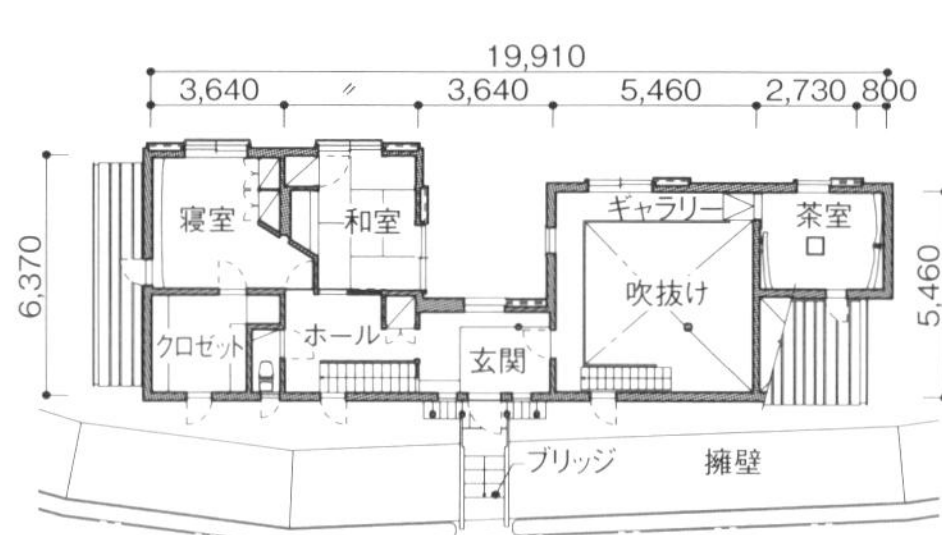

2階平面図 1:400

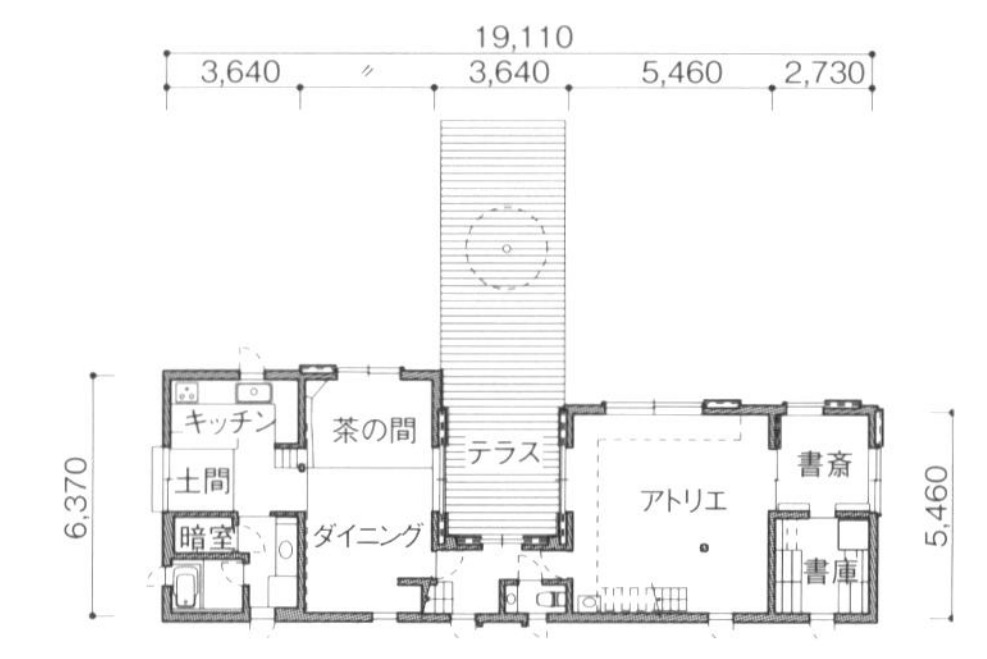

1階平面図 1:400

10
6
ニラ
ニラポット：ポリプロピレン製植木鉢 98φ加工 @400
プラカップ（保水用）接着
アルミアングル 20×20
ビニルホース銅線でアルミアングルに緊結
スノコ：ベイマツ㋐ 18 幅 200～450
ベイマツ 80×100 キシラデコール塗の上、
防水テープ張り
88
100
10
3.333
290
18

屋根詳細断面図 1:50

当り前の家を設計してもいいと思っていたが、赤瀬川さんに「せっかく君に頼むんだから何かチョット…」と言われ、屋根にニラを植えることになった。

藤森照信

写真：波形のスレート板とベイマツ板を組み合わせて、約800鉢のニラを植えている（撮影：藤森照信）

懐風荘

［1997年］

木原千利

きはら・ちとし［1940―］1972年木原千利建築設計事務所を設立（'95年木原千利設計工房に改称）。現代の住宅に「和」を感じさせる納まりを取り入れ、美しい日本の住宅をつくり続ける。「懐風荘」は'97年度日本建築学会作品選奨。

構造：木造一部RC造2階建て　施工：笠谷工務店

新しい和風感覚への挑戦

木原は村野藤吾や出江寛の系譜につらなる建築家だ。日本建築の形式にとらわれることなく、「和」が生きる住宅づくりを目指している。

「懐風荘」の中心は風や光が通り抜ける2層吹抜けのサンルームで、東側の居間・食堂部分と、西側の和室部分を結ぶ〝洋と和の緩衝帯〟にもなっている。南面、北面ともに開け放つことのできる2層分の高い吊り建具（ガラス戸、網戸、格子戸）が用いられ、それらをすべて壁内に収容すると、半戸外的空間に生まれ変わる。

門からのアプローチ空間に始まる庭と建物との関係性、RC造の曲面壁のなかに設えられた和の空間、そしてスチールとガラスで仕上げられた違い棚、外部を取り込んだ床の間の意匠など、新しい和風感覚への挑戦が試みられている。

「茶室に代表される伝統的な数寄屋には、静かで心のゆとりを感じさせる和の空間があり、人をもてなす住まい手の心、自然を生かし取り入れる工夫がある」と木原は言う。追い立てられるように暮らす現代生活のなかで、伝統から多くを学び、じっくり空間をつくっていこうとする木原の考え方は、現在の和風住宅をつくる設計思想に大きな影響を与えている。

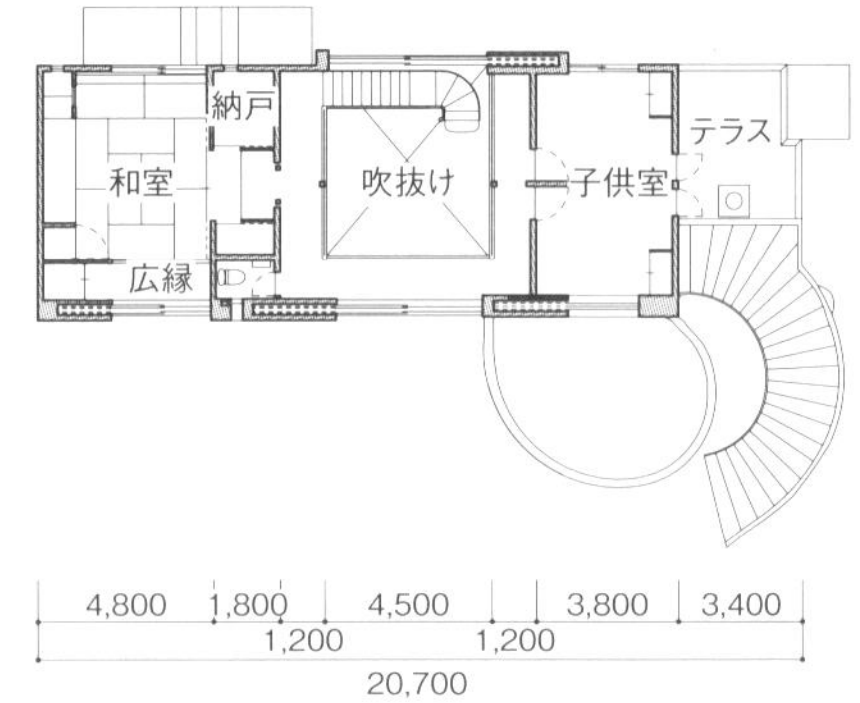

2階平面図 1:400

1階平面図 1:400

「住まいのなかに植物がほしい」。この要求にしばし戸惑ったことを思い出す。夜露も太陽も風も望むようにはいかない住宅のなかに植物を植えることに苦心した。ホールの床から軒までの格子戸と、トップライト下面の格子戸を設けたことで、足元から風が空に通り抜けるとともに、光が思いがけぬ空間の演出をもたらした。　木原千利

写真：サンルームには高い位置に吊り建具を用いる。開け放つことで風が通り抜ける広い戸外空間が生まれる（撮影：松村芳治）

ミニハウス

［1998年］

塚本由晴（アトリエ・ワン）＋貝島桃代＋玉井洋一

（2015年よりアトリエ・ワン パートナー）

つかもと・よしはる［1965—］1987年東京工業大学工学部建築学科卒業（坂本一成研究室に所属）。'87年パリ建築大学ベルビル校に留学。'94年東京工業大学大学院博士課程（工学）修了。建築家。東京工業大学大学院准教授、博士（工学）。

かいじま・ももよ［1969—］1991年日本女子大学家政学部住居学科卒業。'94年東京工業大学大学院修士課程（工学）修了。'92年塚本とともにアトリエ・ワンを結成。建築家。筑波大学准教授。2017年よりETHZ Professor of Architectural Behaviology。住宅を中心に数々の作品を発表、海外での評価も高い。

構造　鉄骨造地下1階・地上2階建て

アトリエ・ワンは、設計活動のみならず、ユニークな都市論の執筆などでも知られる建築家。東京の街の魅力を独自の視点で解析するとともに、都市の小さな住宅を前向きにとらえ直す試みを展開している。〝環境ユニット〟と称して家のなかと外にある要素を結びつけていくことで、家や敷地の境界を越えた環境の広がりのなかに、人間の生活を位置づける。

「ミニハウス」は、単純で小さいボックス状のボリュームが23坪の敷地の中央に建ち、その4周に小さなボリュームが張り出した住宅。中央部は間仕切のないワンルームの積層、小さく張り出したボリュームはキッチンやバルコニー、浴室である。この配置が、敷地の外周部に小さな庭や駐車スペースなどを生み、住宅と環境との間に親密な関係をつくり上げる。

敷地環境が変転しやすい都市の住宅「ミニハウス」は、敷地と建物の関係を根本から問い直した。

4,650　1,750
寝室　バルコニー　バルコニー
3,150　5,650　1,500　3,600

2階平面図
1:250

1,000　2,650　3,750
キッチン　リビング　DN　UP
3,150　1,650
2,050　3,600　1,750

1階平面図
1:250

4,650
寝室
5,650　2,800　1,150

地階平面図
1:250

「建築知識」2005年8月号の特集「住宅ディテールBest 50」で「黒犬荘」と「イズハウス」の開口部のディテールを詳細図で解説。「イズハウス」では、ファサードに温室用サッシを用いている。冬期にはサッシに結露した水がガラスの重なり部に入り込み気密性が向上する。「結露は防ぐもの」という考え方とは正反対の発想だ。

写真：張り出したボリュームの下にミニ・クーパーが停まる。小さいことの魅力を伝える（提供：アトリエ・ワン）

5千人を超す人が亡くなった阪神・淡路大震災では、多くの木造住宅が全壊するとともに倒壊した木造家屋からは火の手が上がり大火災を招いた。この光景に、多くの人が「木造住宅は地震に弱い」というイメージを抱いた。一方で、震災後には金物に関する法規制が急速に整備され、地震に強い住宅へ向けた技術が進歩することにもなった。

記事	特集	掲載号
木造建築は大地震に弱いか!?	緊急企画 兵庫県南部地震	1995年3月号

木造家屋の被害調査報告

現地調査の経路と範囲であるが、阪神電車で青木（おおぎ）駅まで行き、そこから国道2号線に沿って両側に広がる住宅地をジグザグに探索しながら三ノ宮駅あたりまで徒歩で調査した。住宅地の被害はかなり広範囲に及んでいるためすべてをしらみつぶしに調査することは不可能であるが、被害の大きなこれら地域の現地調査だけでもかなりの事実が判明した。

まず、木舞土壁の真壁構法の上に重い葺き土の瓦屋根を載せた旧式の家屋は、ほとんどが全壊している（写真①）。

次いで、この地域で最も多い木造構法は、葺き土で固めた瓦屋根が和小屋の上に載り、外壁構法を木ずり下地にラスモルタル仕上げで大壁とした在来木造住宅であり、こうした家屋もほとんどが全壊あるいは2階が1階を押しつぶす形の大破となっている。1階の間口に壁のない個人商店や、木造の2階建アパートのほとんどがこの構法の木造で建てられていて、同様の被害状況となっている（写真②③④）。

これに対し、屋根や外壁を比較的軽量な乾式構法とした在来木造住宅は、破損部分を探すのが困難なくらい被害が小さいかまったくの無被害である。特に、この地域に意外と多かったのは、昭和63年の法改正以降の木造3階建て住宅で、これらはいずれも外見上まったくの無被害である。外周壁がすべて合板張りのツーバイフォー構法や木質系プレハブ構法の住宅についても、外見上はまったくの無

写真1 木舞土壁でも壁量の多い土蔵は倒壊を免れた

写真2 木ずり下地にラスモルタル仕上げ、瓦屋根で大破した家屋

写真3　1階の間口に壁のない個人商店

写真4 連続してドアと窓が並び、壁のない木造2階建てアパート

写真7　南面の2階に迫り出して大きなバルコニーをもつ住宅

写真5
倒壊したマンションの脇に無傷で立つ木造3階建て住宅

写真6
倒れかかる隣家の横に無傷で立つ小屋裏3階建て

写真9　柱脚と土台がちゃんと緊結されていたため大破を免れた住宅

写真8　2階建ての1階出隅部が独立柱の玄関ポーチとなっているタイプ（柱脚が折れている）

被害であった。無惨な姿で倒壊した瓦屋根の木造家屋の横に今風木造住宅が無傷のまますっくと立っている風景はあちこちで見られた（写真⑤⑥）。

屋根および外壁の重量と構法の違いで被害が異なるであろうと予想はしていたが、まさかこれほどまで結果が明白に分かれるとは思わなかった。木構造の専門知識にうとい現地の住民ですら、「重い瓦屋根と塗り壁の木造はどうも弱いみたいだな」といった意味の感想を漏らしていた。

今風の木造住宅に目立った被害は少ないが、壁の少ない南面の2階に迫り出して大きなバルコニーをもつタイプ（写真⑦）や、2階建ての1階出隅部が独立柱の玄関となっていてそれが脚部から折れてしまったもの（写真⑧）などは、偏心を考慮した耐力壁配置バランスとプランニングが重要であることを物語っている。

逆に、木ずりにラスモルタルの外壁をもつ住宅でも、耐力壁の土台と柱の緊結がちゃんとされていたために小破で済んだもの（写真⑨）もある。しかし、大半のものは耐力壁の隅柱が土台に短柄差しされているだけなので、引張時に浮き上がって転倒してしまうもの（写真⑩）や、圧縮時に無筋の布基礎が割れた拍子に土台からはずれてしまったもの（写真⑪）が多い。またそれ以上に、この地域では木ずりの内側に木舞土壁を塗り込めた真壁と大壁の折衷式の外壁構法の家屋が多く、

2000年以降

時代の総括

住宅の進むべき道とは

建築家×構造家

２０００年以降の住まいで注目されるのはリノベーションやコンバージョンの動向である。みかんぐみによる「団地再生」が注目を集めたが、民間の集合住宅などでもリフォームの事例が増えるなど、使い続けることの意義が問い直されている。

また、新しい材料や技術、構造への取り組みなどにも興味深い事例が現れてくる。いつの世も時代の先端を切り開くのは技術者、その後に時代を成熟させる役割を担うのが建築家である。**遠藤政樹**＋**池田昌弘**の「ナチュラルスラット」（２００２）や**椎名英三**＋**梅沢良三**の「IRONHOUSE」（２００７）のように建築家と構造家との協働によって優れた住宅作品が生まれつつある。また、材料や構造への関心から、石や鉄をテーマとした住宅、工業製品としてのコンクリートを使った大谷弘明の「積層の家」（２００３）、そして素材としての木の力を生かした**竹原義二**の自邸、耐震的配慮を含めた木造の新しい工法やシステムの提案など、材料や技術への取り組みを通じて新しい建築空間を創出させようとする試みなども注目される。

新しい都市像とそれに対応した都市住宅も現れ始めてきた。一見無秩序に見える日本の都市に対し、積極的な意味づけを行う若い建築家たちの登場がそれを支えている。アトリエ・ワンの一連の作品や**妹島和世**の「梅林の家」（２００３）などは、出尽くした観のある狭小住宅に新しい可能性を見出したものである。建築家たちが本気で取り組んでいる究極のミニマムハウスの試みは、世界的に見ても異例であろう。ここから将来に向けてどのような住文化が生まれてくるのか、期待したい。こうした建築家の挑戦を支えているのは、何といってもユニークな住まい方を希求する建築主の存在である。受け手である建築主の価値観も大きく変わりつつある。自らのライフスタイルにあった住まいを求める機運は**手塚貴晴**・**由比**の設計した

「屋根の家」（２００１）などに顕著である。

高齢化社会と向き合う

戦後住宅の最大の課題であった近代家族像に即した近代住宅の姿が大きな変貌を遂げた。

モデルとしてのＬ＋ｎＢの解体は、個人、夫婦、家族、地域社会の関係を大きく変えようとしている。そして、多様な家族形態を受け入れるシェアハウスやコレクティブハウスなどさまざまな住居形式が今後も模索され続けていくに違いない。西沢立衛の「森山邸」（２００５）は住宅の解体現象の最終的な姿を映し出しているようにも思えるが、一方で解体しつつある家族をつなぎとめる役割をもつ住まいの追求も健在である。工務店やハウスメーカーの住まいを超える質をもつ建築家住宅を〝標準化〟によって普及させようとする**伊礼智**の住宅や、美しく使いやすい〝普通の家〟を追い求める**本間至**の仕事なども注目すべきである。

このほか、単身者や老人たちの住まいが大きな課題として浮上してきた。世界に例を見ない高齢化社会のなかで、都市や住宅はどうあるべきか。従来の戸建住宅や集合住宅を超えた住まいの有り様が目指されるに違いない。その対応を世界中が関心をもって見つめている。そして、長年にわたって築かれてきたコミュニティが一瞬にして崩壊した東日本大震災。その復興に向けての新たなコミュニティの創出が大きな課題となっているが、このことは、今後の日本社会を考えるうえでも多くのことを示唆している。

「建築知識」バックナンバーに見る［建築］の歴史 2000年以降

住宅の進むべき道とは

本稿掲載作品　建築にまつわる出来事

'01年2月号「スズキ式［住宅設備］攻略ガイド」

すぐできる設備の小ワザ

防犯、バリアフリー、省エネなど、当時関心の高かった設備を紹介。設備用語や住宅内情報化、デジタル放送などを解説❶

特集「スズキ式［住宅設備］攻略ガイド」［2月号］

シックハウス法を完全攻略！

シックハウス対策の規制が強化され、従来の住宅設計にはなかった、内装仕上げや下地のホルムアルデビド発散量の制限、換気設備の設置義務など新しい設計手法が要求された。法規・建材・換気の3本立てでシックハウス対策のすべてを取り上げた

特集「シックハウス［法規★建材★換気］完全攻略本」［6月号］

2000年

- **建築基準法改正**
  建築確認・検査業務の民間開放、建築基準の性能規定化という抜本的改正。また木造住宅において、地耐力に応じて基礎を特定。地盤調査を事実上義務化。耐力壁の配置にバランス計算が必要となる
- **大規模小売店舗立地法**（大店立地法）**施行**
  これに伴い大店法が廃止
- **住宅の品質確保の促進等に関する法律**（品確法）**施行**
  構造に耐震等級が盛り込まれ、住宅性能表示制度が開始
- **住宅金融公庫の共通仕様書改訂**

2001年

- **品確法で空気環境表示方法が定められる**
- **高齢者の居住の安定確保に関する法律施行**
- 三澤康彦+三澤文子「Jパネルハウス」
- 手塚貴晴+手塚由比「屋根の家」

2002

- **地球温暖化対策推進大綱決定**
- 遠藤政樹+池田昌弘「ナチュラルスラット」
- 竹原義二「101番目の家」

2003

- **三陸南地震**（最大震度6弱、M7.0）
- **シックハウス法施行**
- 妹島和世「梅林の家」

2004

- **建築基準法改正**（既存不適格建築物の関連など）
- **新潟県中越地震**（最大震度7、M6.8）
- 本間至「鵜山の家」

2005年

- **日本国際博覧会**（愛・地球博）**が愛知で開催**
- **構造計算書偽装問題の発覚**
- 山辺豊彦+丹呉明恭「伝統型木造実験住宅」

2006年

- **耐震改修促進法改正**
  計画的な耐震化の推進、建築物に対する指導などの強化、耐震改修支援センターによる耐震改修に係る情報提供など支援措置の拡充が盛り込まれた

「3大改正」を完全攻略！

'00年の建築基準法改正を受けての総力特集。大改訂された公庫の基準や本格的にスタートした品確法と併せて"木造住宅"に関係する部分を徹底解説

特集「木造住宅［建築基準法×品確法×公庫］クロスチェック」［1月号］

姉歯・耐震偽装事件

2月号から5月号まで4号にわたって耐震偽装事件の総力特集を組み、実務誌ならではの切り口で問題を徹底追及した

総力特集
「姉歯・耐震偽装事件を追う」［2月号］「耐震偽装事件はなぜ起きたか」［3月号］「耐震偽装建築は倒壊するのか」［4月号］「耐震偽装による法改正速報！」［5月号］

宮脇檀の設計手法は永遠に

宮脇檀のプランニングから素材、納まりまで設計手法のすべてを、門下生であった設計者たちが詳しく解説❷

特集「宮脇檀の全てが分かる住宅設計60のオキテ」［6月号］

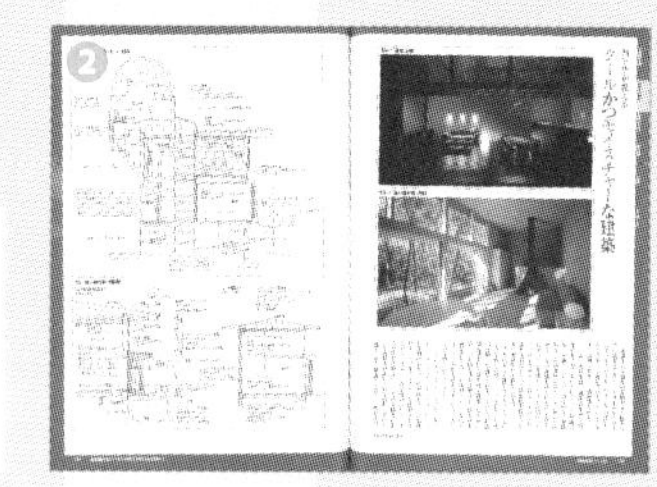

'06年6月号「宮脇檀の全てが分かる住宅設計60のオキテ」

'11年5月号「緊急特集 東日本大震災」

地震に克つ建築

「震災後間もなくの取材は、交通機関が復旧していないため、関西から来た著者と一緒に東京駅からバスに乗り、山形でカメラマンと合流して宮城に入った」（担当編集者）❺

「緊急特集 東日本大震災」［5月号］

'07年4月号「見るだけでわかる！鉄骨造［現場入門］写真帖」

超わかりやすい！S造のつくりかた

構造躯体の仕組みから下地材の取付きまで、設計に必要な情報をあますところなくビジュアル化。初のDVD付録。これ以降、写真や漫画などビジュアルをメインにした特集が増えていく❸

特集「見るだけでわかる！鉄骨造［現場入門］写真帖」［4月号］

2007年

- 耐震偽装問題を受け、**建築関連4法**（建築基準法・建築士法・建設業法・宅建業法）**が改正**
- **住宅金融支援機構が発足**
- **新潟県中越沖地震**（最大震度6強、M6.8）
- ◆椎名英三＋梅沢良三「IRONHOUSE」

2008年

- **建築士法改正**
  一定規模以上の建築物の法適合性を証明する構造と設備の新資格の創設、建築士への定期講習の義務付け、管理建築士の講習義務付け、建築士試験内容と受験実務要件の見直し、指定登録機関制度導入などが盛り込まれた
- **リーマン・ショック**
- ◆西方里見「臥竜山の家」

2009年

- **住宅瑕疵担保責任履行法施行**
- **住宅省エネルギー基準改正**（改正次世代省エネルギー基準）
- **長期優良住宅の普及の促進に関する法律**（200年住宅法）**施行**
  長期の使用が可能な「200年住宅」は施工費が一般的に割高になるため、税制上の優遇措置などにより普及を図る目的
- **新設住宅着工戸数、約79万戸。45年振りの80万戸割れ**
- **エネルギー環境適合製品の開発及び製造を行う事業の促進に関する法律**（低炭素投資促進法）**施行**

2010年

- ◆伊礼智「守谷の家」

2011年

- **東北地方太平洋沖地震**（最大震度7、M9.0）
- **UIA2011東京大会 第24回世界建築会議**

2012年

- **再生可能エネルギーの全量固定価格買取制度が開始**

「建築知識」史上最大の厚さ！

特別付録に、分厚い「建築関係法令集」があるため、雑誌の厚みがとにかくすごい「写真を撮るのもとにかく大変だった…。特に12用途地域（泣）」（担当編集者）❻

特集「建築基準法の解剖図鑑」［3月号］

❻
'12年3月号「建築基準法の解剖図鑑」

木構造スペシャル

4号特例見直しの動きを受けて、2月号から4月号までは木構造3連発❹

特集
「誰でも描ける「木造伏図」」［2月号］「［木造］構造計算イラストガイド」［3月号］「いまさら聞けない「木構造＋耐震改修」」［4月号］

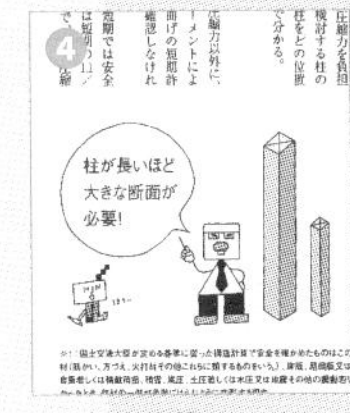

'09年3月号「［木造］構造計算イラストガイド」

みさわ・やすひこ[1953－2017]1974年美建建築設計事務所に入所。一色建築設計事務所(東京)を経て、'85年妻の三澤文子とともにMS建築設計事務所を設立。

みさわ・ふみこ[1956－]1979年奈良女子大学理学部物理学科卒業。'80年大阪工業技術専門学校建築学科卒業。高木滋生建築設計事務所、現代計画研究所を経て、'85年三澤康彦とともにMS建築設計事務所を設立。'96年阪神・淡路大震災によって倒壊した木造の調査研究・開発のための木構造住宅研究所を開設。2001-'09年まで岐阜県立森林文化アカデミー教授。

Jパネルハウス

［2001年］

三澤康彦＋三澤文子

構造　木造2階建て　施工　村上建設

パネルと金物と人の先駆

三澤康彦と三澤文子によるMs(エムズ)建築設計事務所は、「木の住まいをデザインする」ことを標榜。自然素材を取り入れた家づくりが急速に普及するなか、木の住まいが一定の性能を保つための仕組みづくりに、積極的に取り組んだ。また、乾燥させたスギの間伐材を繊維方向に接着して3層構造にした「Jパネル」を開発。柱と柱の間にJパネルを落とし込み、強度を高めながら構造体をつくる工法の普及も推し進めた。木材を科学するというそのアプローチは、生産システムとも密接にかかわりながら、広く認知されるようになった。

2人は、住まいの耐久性やデザインに木材が及ぼす影響の大きさに着目。良質な架構フレームをつくるため、林産地を選び管理された乾燥材の構造材を得ること、構造材どうしを在来軸組構法用の金物「Dボルト」で緊結すること、さらに住まい手が構造材を工務店に支給する分離発注方式を行うことを推奨している。

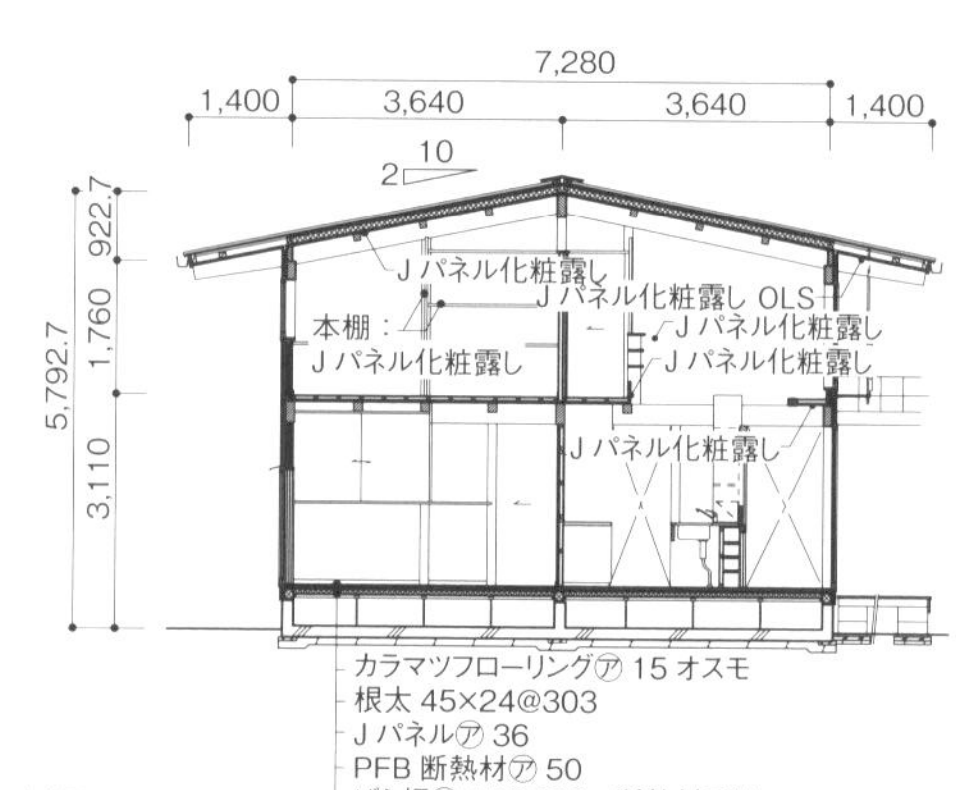

断面図 1:200

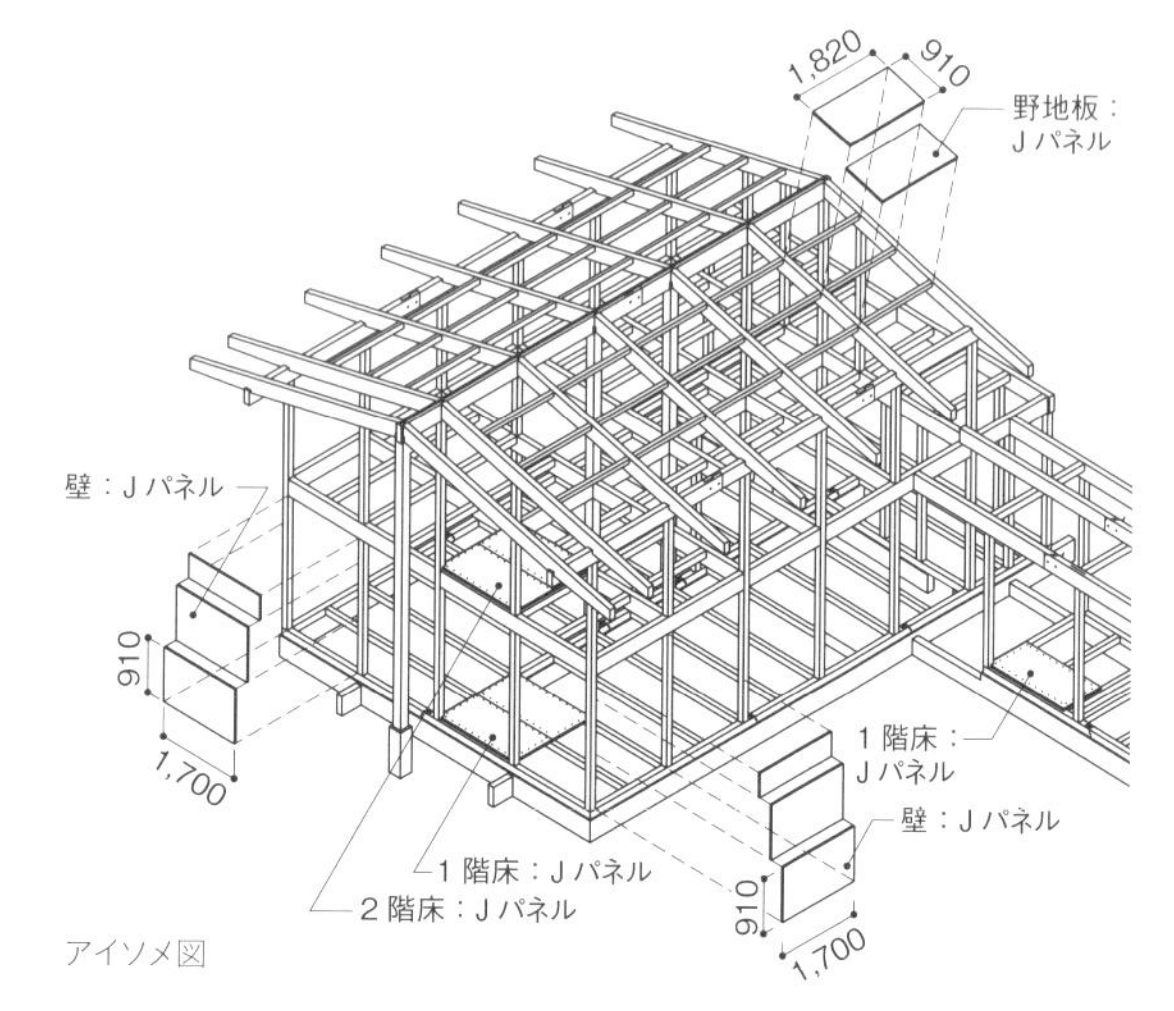

アイソメ図

写真上：軒の出の深い外観。右手が下屋の水廻り空間。正面はデッキを通じてリビングへとつながる
写真右：リビング、ダイニング、和室は一体の大きな空間。家族の集まるスペース
写真左：2階は本棚で間仕切がつくられる
（提供：Ms建築設計事務所）

てづか・たかはる[1964—]1987年武蔵工業大学(現・東京都市大学)卒業、'90年ペンシルヴァニア大学大学院修了。'94年に妻の手塚由比と手塚建築企画('97年に手塚建築研究所と改称)を共同設立。

てづか・ゆい[1969—]1992年武蔵工業大学卒業、ロンドン大学バーレット校でロン・ヘロンに師事。世界に1つの建築を目指し、斬新で大胆なデザインの作品を夫婦でつくり続ける。

屋根の家

[2001年]

手塚貴晴＋手塚由比

構造　木造平屋　施工　イソダ

常識を超えるデザインの可能性

屋根に手摺がない、建築基準法に抵触しているのでは——「屋根の家」発表当時、そんな抗議の電話があったという。"屋根の上で暮らしたい"という突拍子もないアイデアを建築的に見事に成立させた話題作。手塚夫妻は「屋根の基本的なエレメントの使い方を考え直し、建築の根本を変える」ことを確固として目指した。それを可能としたのは、建築主の熱い思いと敷地環境、そして手塚夫妻の才覚だ。

90坪の敷地に29坪の木造平屋が建ち、その上に42坪強の大屋根が載る。屋根は全面が木製デッキで、テーブル、椅子、キッチン、シャワー、そして風除けと目隠しのための高さ1.2mのL字形の壁が備えられている。木造格子梁と構造用合板により150㎜の薄さに抑えられた屋根は、地面と同じ一寸勾配。遠く弘法山の景色が眼前に広がる。室内は引戸で仕切られ、建具を開け放せばワンルームと化す。現代の多様なライフスタイルをいかに住宅に映し出すか、その手法は若手設計者に大きな影響を与えた。

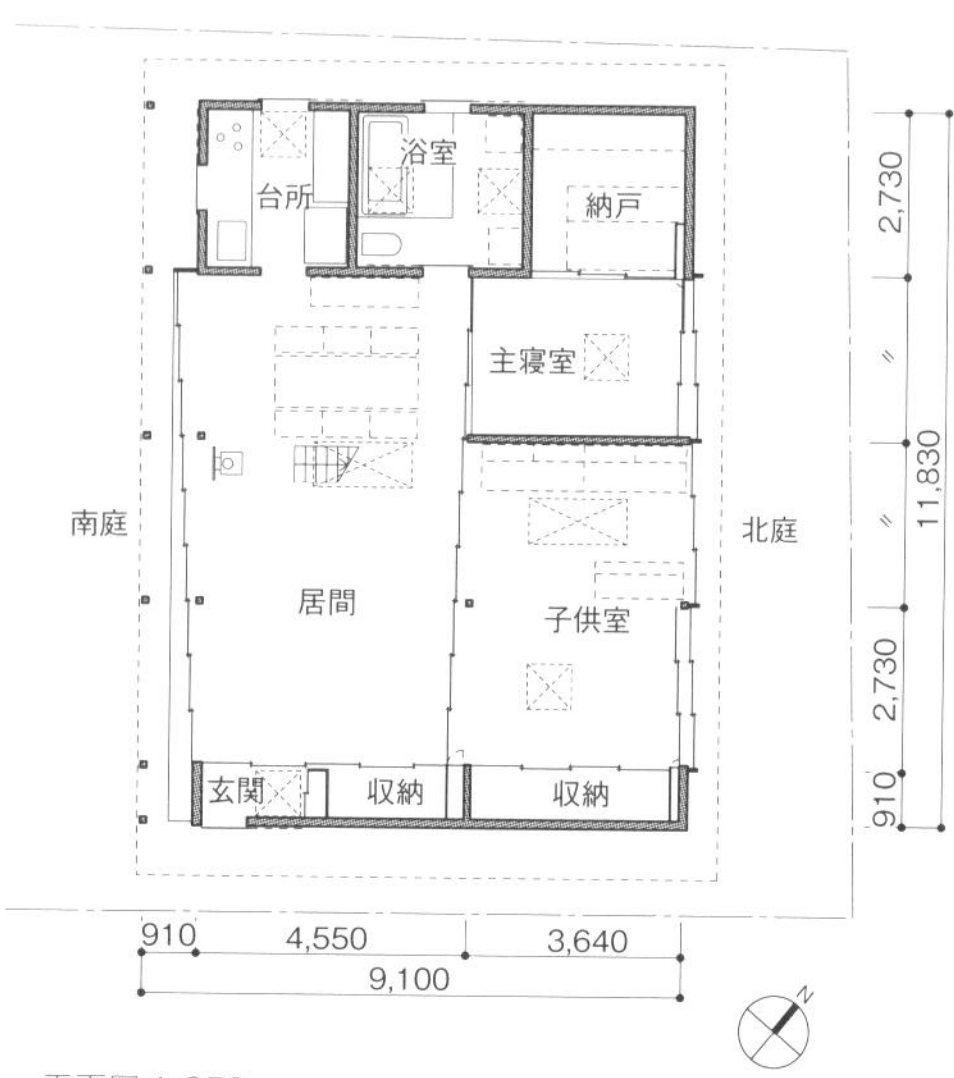

断面図 1:200

平面図 1:250

設計時に小学校2年生と4年生だった「屋根の家」に住む女の子たちも、既に大学生と社会人。だが今でも、わたしたちの講演会で最初に出すネタは、屋根の家。その後、大小さまざまな建築作品をつくり続けてきたが、この小さな住宅を超えることができない。わたしたちの思想の原点である。

手塚貴晴・由比

写真上：屋根に緩やかな勾配をもたせることで、人が座りやすくなり、居心地のよい場所となる
写真下：屋根には8個の天窓が設けられ、好きな部屋から上ることができる
（撮影：FOTOTECA／木田勝久）

たけはら・よしじ［1948―］大阪市立大学富樫研究室を経て、石井修の美建・設計事務所に勤務。1978年無有建築工房を設立。2000～'13年大阪市立大学大学院教授。伝統的な日本建築に受け継がれてきた空間を再構築し、素材そのものがもつ美しさを生かしながら現代の建築空間に展開している。

101番目の家

［2002年］

竹原義二

構造：RC造＋木造地下1階・地上2階建て　施工：中谷工務店

「素」の構造美と素材美

竹原は、路地、中庭、土間、半外部空間、間合い、ズレと隙間、つなぎの空間といったキーワードを軸に、数寄屋や茶室など日本の伝統建築の空間性や構成方法に立脚した作品を発表し続けている。

自身の建築の原点に還る作品として臨んだ自邸「101番目の家」は、木とコンクリートによる混構造の表現がテーマ。

両者は1対1の関係でぶつかり合う。内と外、ヴォリュームと余白、ズレと隙間――。建築の諸要素が1対となって空間を築きあげる時、重層する関係のなかに新たな可能性が浮かび上がる。敷地は間口7m、奥行15mで東西に細長く、前面道路より1層分低い。構造をすべて剥き出しにし、空間を支える骨格だけで内部空間が構成され、そこに生まれたズレや隙間を通して光や風が通り抜ける。また、硬くて色艶があり荒々しい表情をもつ20種におよぶ広葉樹を、不ぞろいの断面寸法のままで使用し、RC造と組み合わせている。縄文的表現をもつ都市型住宅だ。

伝統的に受け継がれてきた日本建築のなかにある「素」の構造美と素材美を住宅で表現する竹原の手法は、後に続く多くの設計者に〝気づき〟を与えた。

内6　外4　内4　外5　内5

2階平面図 1:250

2,400　2,510　5,440　4,200
DN UP　内3　外3　厨房　内2
2,400　3,200
900　3,150　7,200

1階平面図 1:250

浴室　洗面所　外1　外2　内1

地階平面図 1:250

N

「建築知識」2011年5月号の特集「ここまでできる！ 最高の家づくり設計法」で、素材そのものを建築に取り入れた住宅設計について竹原氏にインタビューさせていただいた。この特集では、「富士が丘の家」「小倉町の家」「大川の家」のディテールを詳細に解説している。

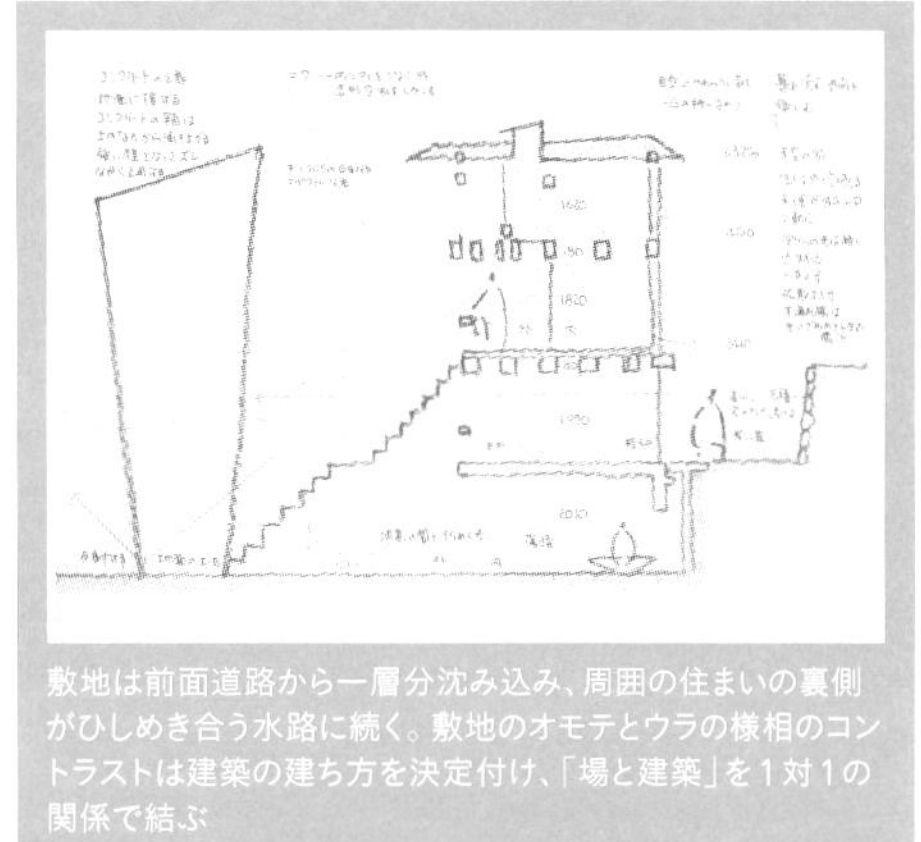

敷地は前面道路から一層分沈み込み、周囲の住まいの裏側がひしめき合う水路に続く。敷地のオモテとウラの様相のコントラストは建築の建ち方を決定付け、「場と建築」を1対1の関係で結ぶ

写真上：木とRCによる仮分数のプロポーション。広葉樹でできた壁柱と縦格子が町並みへの顔となる
写真下：線の組み合わせで構成された壁の隙間から光や風が通り抜けるよう工夫され、内部は居心地のよい、広々とした空間を構成している
（撮影：絹巻豊）

えんどう・まさき［1963—］1989年東京理科大学大学院修士課程修了。'89～'94年難波和彦+界工作舎に勤務。'94年EDH遠藤設計室を設立。千葉工業大学准教授。意匠、構造とも意欲的な作品を次々と手掛けている。

いけだ・まさひろ［1964—］1987年名古屋大学工学部建築学科卒業。'89年同大大学院修士課程修了。木村俊彦構造設計事務所、佐々木睦朗構造計画研究所を経て、'94年池田昌弘建築研究所、2004年MASAHIRO IKEDA CO., LTDを設立。'10年には自身が学長を務める「MASAHIRO IKEDA SCHOOL OF ARCHITECTURE（MISA）」を開校。

ナチュラルスラット

［2002年］

遠藤政樹＋池田昌弘

構造　鉄骨造2階建て　施工　葛工務店

構造×デザイン×機能

テクニカルな方法を用いて新しい空間形式を目指している新進気鋭の建築家・遠藤政樹と、近年は構造設計のプロフェッショナルを育成するビジネススクールを開校し、後進の育成にも精力的な構造家・池田昌弘により、新しい材料と技術から生み出された協働作品。

45°に開く、幅60㎝の縦型スラット（羽根板）で囲われた9m角の住宅。居間と台所に面するテラス、風呂場に面する中庭という内部化された外部を内包している。2階屋根を支えるスラットは高い剛性をもつ柱であるが、あたかも布のような柔らかさを感じさせる。壁や窓で内外が仕切られた従来の住宅と比較すると、布1枚で内外が仕切られているような柔らかな境界のデザインである。

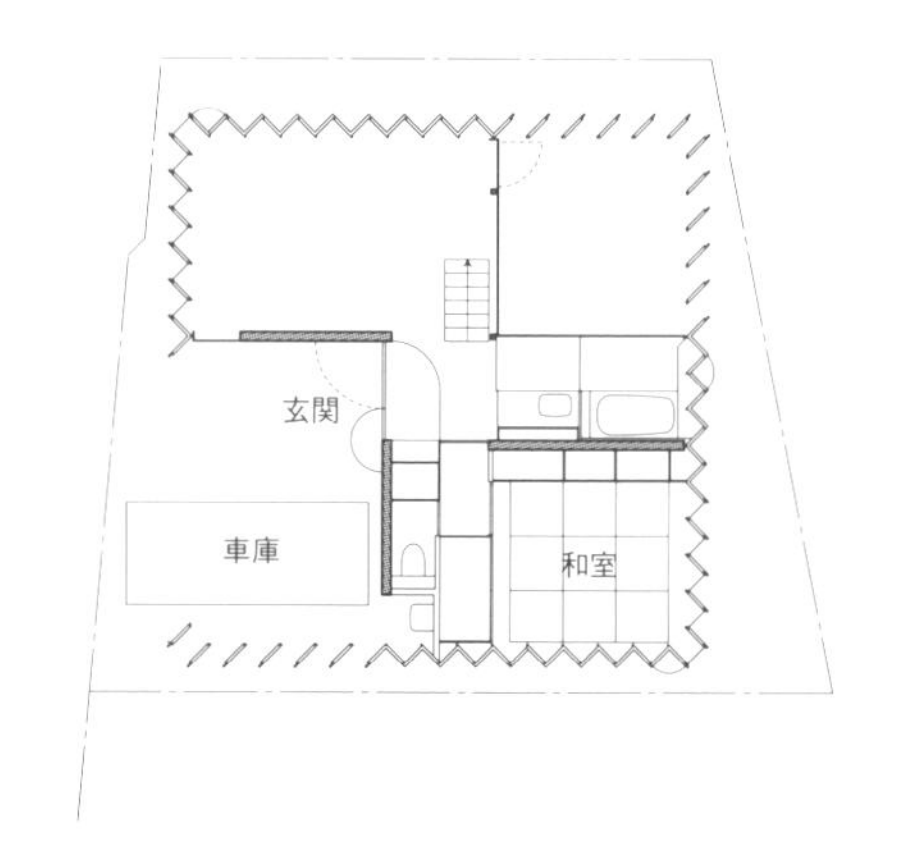

2階平面図 1:250

1階平面図 1:250

「建築知識」2005年8月号の特集「住宅のディテールBest 50」では、2人の協働作品「ナチュラルストリップスII」を取り上げ、開口部のディテールを詳細に解説した。日照を制御するためのルーバーとサッシが一体となったカーテンウォールのファサードが特徴。

写真：スラットは25㎜厚のスチール柱に25㎜厚の断熱パネルを合わせたもので、構造的には2階の屋根を支えると同時に、通風と採光の機能をもち、かつ周囲からの視線を制御する役割を任う（撮影：坂口裕康）

梅林の家

［2003年］

妹島和世

せじま・かずよ［1956―］1979年日本女子大学家政学部住居学科卒業。'81年同大大学院修了後、伊東豊雄建築設計事務所に入所。'87年妹島和世建築設計事務所を設立。主な作品に「再春館製薬女子寮」（'91）など。'95年西沢立衛とSANAAを設立。2010年には西沢とともにプリツカー賞を受賞。'12年には、SANAAが設計した、フランス・ランス市にあるルーブル美術館の分館「ルーヴル・ランス」が開館。世界的に注目を集める。

構造：鉄骨造3階建て　施工：平成建設

立体型一室空間

既存の物差しにとらわれないデザインと透明感。国の内外を問わず、次々と話題作を発表し続けている妹島が手掛けた住宅は、もとは梅林だった場所に建つことから「梅林の家」と命名された。

延床面積23・5坪に建つ小さな白い箱には、夫婦と子ども2人、祖母の計5人が暮らす。外壁と内壁は16㎜の薄い鉄板でつくられた。妹島はその薄さを、美学的な問題というよりは関係性の問題ととらえている。

寝る、勉強する、お茶を飲む、くつろぐなどの行為ごとに別々の〝部屋〟が与えられているが、それらは通常の間仕切と違って薄い壁に穿（うが）たれた大小の四角い孔で連絡されている。また、厚みのない開口部を通しての眺めは、通常の距離感覚を強く揺さぶる。

立体的なワンルーム形式ともいえる不思議な空間構成が、狭小住宅の可能性を広げた。この住宅の薄い鉄板は、建築空間に新たな可能性を生み出したのみならず、過激にも、生活感覚の変革までも設計界に促した。

3階平面図 1:200

2階平面図 1:200

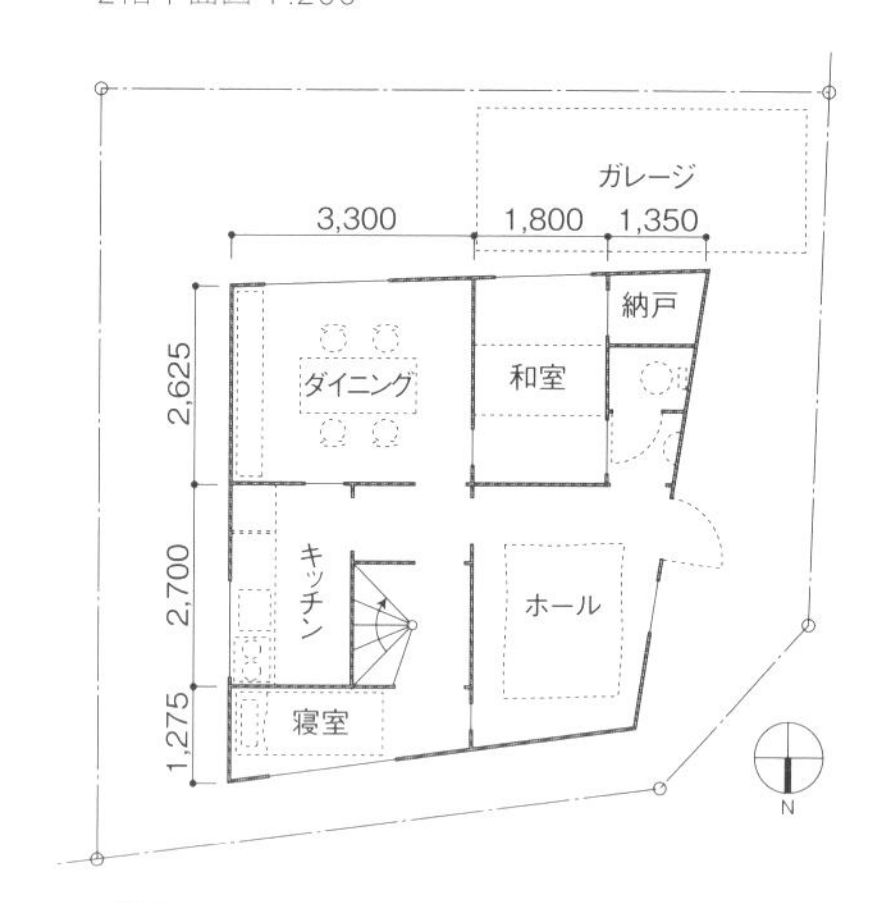

1階平面図 1:200

写真：薄い鉄板でつくられた壁が生み出すワンルームのような空間が、不思議な距離感を生み出す
（提供：妹島和世建築設計事務所）

ほんま・いたる［1956―］1979年日本大学理工学部建築学科卒業。林寛治設計事務所勤務を経て、'86年本間至建築設計室を開設。'94年ブライシュティフトに改称。2010～'15年日本大学理工学部建築学科非常勤講師。住み心地のよさを住宅の本質ととらえた作品をつくりながら、著作活動も旺盛にこなす。また、NPO家づくりの会の理事として、住宅設計に関するさまざまな活動も行っている。

鳩山の家

［2004年］

本間 至

構造：木造2階建て　施工：内田産業

美しく気持ちのよい住空間の追求

ことさらに作家性を追求せず、〝美しく気持ちのよい住まい〟をスローガンに活発な設計活動と著作活動を展開している住宅作家・本間至。生活から発想し考え抜かれた平面・断面、動線や視線の工夫、外と内の関係性や、光と風をコントロールするディテールなども評価が高い。そんな優れた〝普通の家〟の数々を掲載した自著の刊行を通し、設計実務者のノウハウを広く一般の読者にも伝えるべく、執筆活動にも注力している。

「鳩山の家」は上下・左右に伸びやかな空間をもつ住宅。LDKとサニタリーによってL字型に囲まれているウッドテラスは、LDKと同じくらいの広さがある。東側にある雑木林の借景とその広いウッドテラスが融合し、緑が室内に誘い込まれる。外と室内に柔らかな一体感が生まれ、テラスはもう1つの居室となる。

特に枠廻りへのこだわりは強く、本間が「唯一建築主に口出しされず、自由に設計できるところ」と言うとおり、建物の質を決める要素として丁寧にデザインされている。

寝室
吹抜け
予備室

2階平面図 1:250

道路
車庫
ポーチ
玄関
浴室
洗面室
収納
キッチン
収納
テラス
リビング・ダイニング
庭
11,250
5,000
4,500

1階平面図 1:250

住宅設計に求められることとして、周辺環境との関係をどのようにつくるか。また、そこに暮らす家族の生活に馴染む空間を、どのように演出できるか。大きくは、この2つだと考えている。この「鳩山の家」は周辺の雑木林を、庭のウッドテラスを介して室内に引き込み、ダイニングテーブル上の吹抜けによって、縦の広がりへとつなげている。さらに、2つの階段によって大きな回遊動線がつくられ、日々の暮らしに、いろいろな意味でのゆとりをつくり出している。　本間至

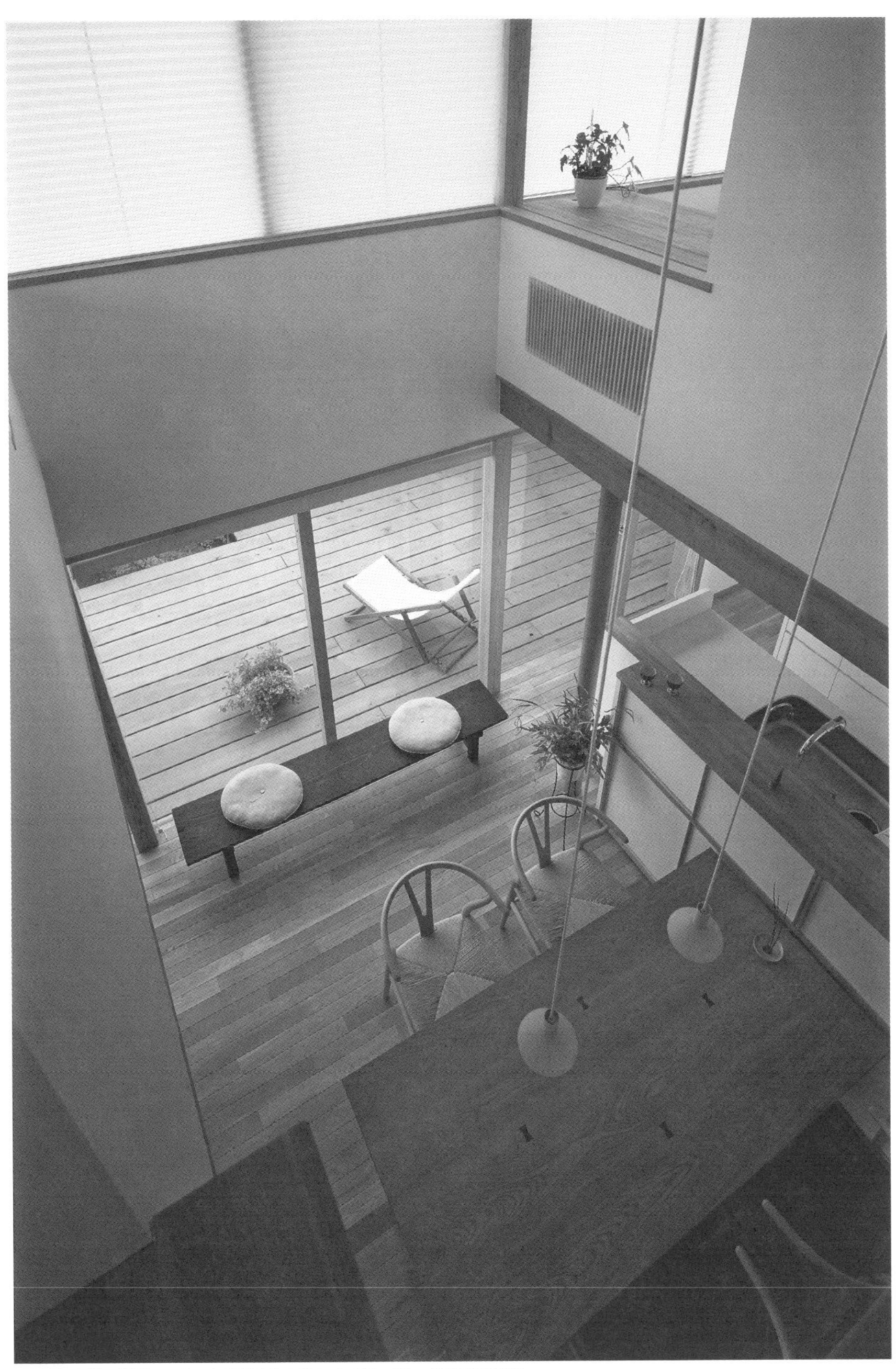

写真：2階の書斎コーナーから見下ろすダイニングキッチン。吹抜け空間の中心に置かれたダイニングは、暮らしの中心にもなっている（撮影：冨田治）

伝統型木造実験住宅

［2005年］

山辺豊彦＋丹呉明恭

やまべ・とよひこ［1946―］1969年法政大学工学部建設工学科建築専攻卒業。'78年山辺構造設計事務所を設立。'93年から丹呉明恭建築設計事務所と木造建築（特に4号建築物）の構造について勉強会を始め、木構造の力学的解析に取り組む。その成果を講習会・勉強会のかたちで全国の設計者に精力的に伝え続けている。

たんご・あきやす［1947―］1972年芝浦工業大学建築学科卒業。連合設計社みねぎしやすお建築設計事務所入所。'78年丹呉明恭建築設計事務所設立。'79年から小川行夫氏に師事し、渡り腮の梁組を学ぶ。'93年より山辺氏と共に構造勉強会を始め、'98年には大工塾を開催。

構造：木造2階建て　施工：大工塾塾生

木構造を解析して再構築

構造家の山辺と建築家の丹呉は、仲間の施工者らとともに日本の木造建築の耐震性能を解析し、構法を再構築することで、これからの木造住宅づくりに生かす活動を続けている。

1995年の阪神・淡路大震災は、日本の木造建築の流れをくむ在来軸組構法が、曖昧な定義のまま放置されてきた実態を白日の下に晒した。伝統的な構法も現代の木造建築の設計においては置き去りにされていた。山辺と丹呉は'93年から木構造に関する勉強会をスタート。また、大工との勉強会「大工塾」のメンバーを通じ、施工の現場から出てくる問題点や工夫を、再び計算や設計にフィードバック。こうした地道な積み重ねからつくり上げられてきたのが、「渡り腮構法」、そして「伝統型木造実験住宅」である。

断面図 1:120

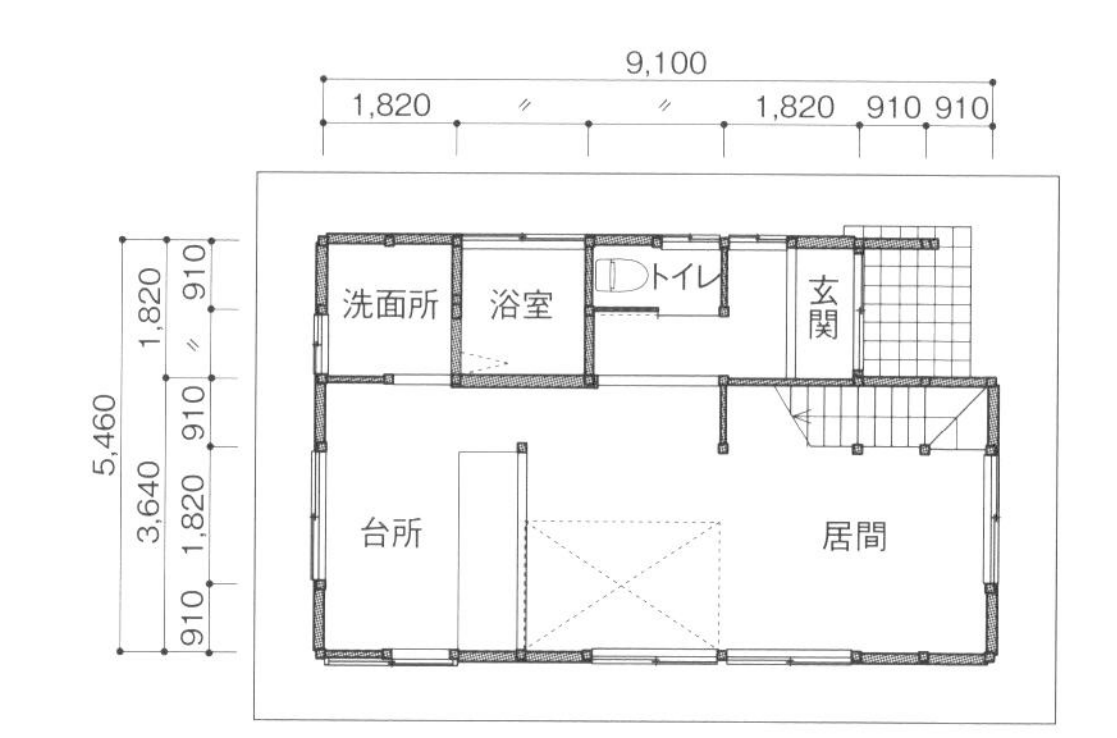

1階平面図 1:200

木造の仕口・継手などの耐力を実大実験によるデータで確認、その成果を具体的な設計手法に落とし込む山辺氏の活動に、「建築知識」は早くから注目。「ヤマベの木構造」のタイトルで短期集中連載をお願いした（2002年9～12月号）。氏の著作はいまや木造設計"バイブル"といわれるほど、多くの設計者に愛用されている。

写真：主要構造材は天然乾燥によるスギを使用し、架構の部材どうしは込み栓のみでつなぐ（提供：山辺構造設計事務所）

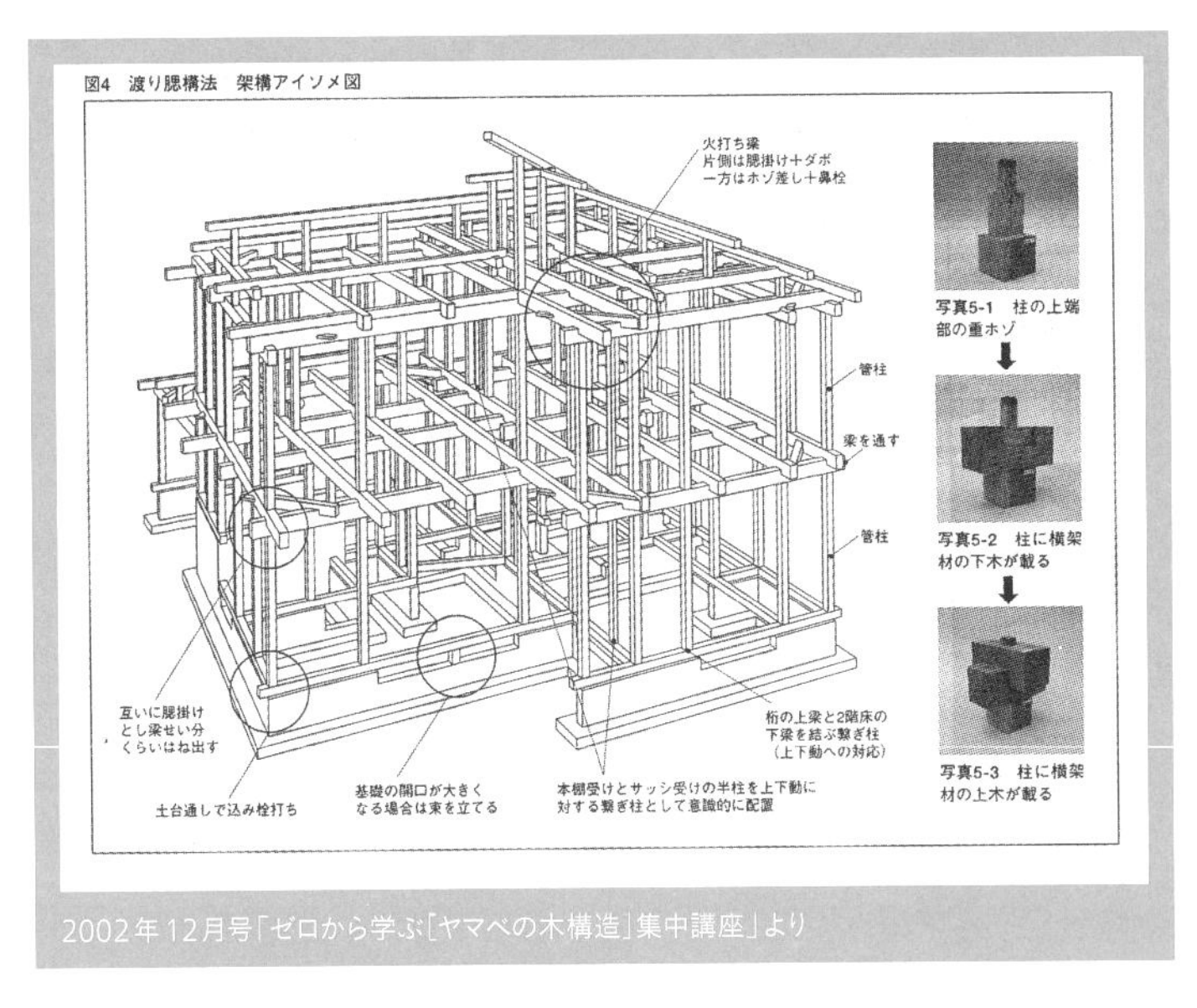

2002年12月号「ゼロから学ぶ［ヤマベの木構造］集中講座」より

しいな・えいぞう［1945―］1967年日本大学理工学部建築学科卒業、'68年宮脇檀建築研究室に入社。'76年椎名英三建築設計事務所を設立。現在、椎名英三・祐子建築設計主宰。「光の森」でJIA新人賞（2000）、自邸「宇宙を望む家」でJIA25年賞（'10）を受賞。

うめざわ・りょうぞう［1944―］1968年日本大学理工学部建築学科卒業、同年木村俊彦構造設計事務所に入所。'77年～'83年丹下健三都市建築設計研究所に勤務。'84年梅沢建築構造研究所設立。数多くの有名建築の構造を手掛け、意匠の自由を確保し続けている。

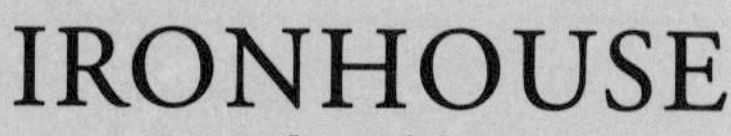

IRONHOUSE

［2007年］

椎名英三＋梅沢良三

次世代に継ぎ渡す鉄の家

椎名英三は建築の「空間性」を探求している建築家だ。一方、建築主でもある構造家・梅沢良三は、鉄材の建築的可能性を追求し、外観にコルテン鋼を大胆に用いた事務所「IRONY SPACE」をこの住宅に先駆け完成させていた。

「IRONHOUSE」は、そんな椎名と梅沢が協働して設計した住宅。鉄のサンドイッチパネル構造を住宅に適用した試みである。地下に設けた半屋外空間（アウタールーム）は、屋内外を一体的に扱う。屋外での生活を日常化することを狙った、椎名が得意とする空間手法だ。10坪程度の広さながら、天空に抜けるような見事な半屋外空間を生み出している。この、意匠と構造の美しい合作は、今後、より優れた住宅建築の礎になるだろう。新技術への挑戦と質の高い空間性が評価され、日本建築学会賞を受賞した。

構造　鉄骨造＋RC造地下1階・地上2階建て　施工　滝澤建設＋高橋工業

2階平面図 1:300

1階平面図 1:300

地階平面図 1:300

IRONHOUSEは、地階を300㎜厚の鉄筋コンクリートでつくり、地上階は工場製作した耐候性鋼板サンドイッチパネルの現場防水溶接で組み立てられた超長期実験住宅である。建築の空間的コアとしては、137億光年の天井高を有し、テーブルやベンチや植栽がセットされたアウタールームが配され、空間に奥行きと広がりと潤いをもたらしている。　椎名英三＋梅沢良三

写真上：西北側から見た外観（提供：梅沢建築構造研究所）
写真下：地階リビングよりアウタールームを望む（提供：椎名英三建築設計事務所）

にしかた・さとみ［1951―］1975年室蘭工業大学建築工学科卒業。同年青野環境建築研究所に入所。'81年、故郷の秋田県能代市に西方設計工房を開設。大学で寒冷地建築を、青野環境建築研究所時代には木材と木造住宅を学んだ。高断熱・高気密住宅と生産システムの設計・開発・普及に努める。「臥竜山の家」は第3回サステナブル住宅賞・国土交通大臣賞受賞。

臥竜山の家（がりゅうさん の いえ）

［2008年］

西方里見

構造―木造2階建て　施工―池田建築店　基本計画―室蘭工業大学鎌田研究室

次世代省エネ基準の先を見越した高性能住宅の実践

西方は新木造住宅技術研究協議会（新住協／代表：鎌田紀彦［室蘭工業大学教授］）とともに、住宅の高断熱・高気密化や、人体への負荷が少ない建材の使用を提唱・実践し、設計・施工者に多大な影響を与え続けている。

日本の住宅では近年、高断熱・高気密化による省エネルギー化が急激に進んだ。大きな契機となったのは、1999年に改正された次世代省エネルギー基準である。建物の性能を表す指標として「Q値」（熱損失係数）などの数値が地域ごとに定められた。

一方で西方は、材料や工法には一長一短があること、地域・予算などの条件に応じた費用対効果の高い工法を選ぶべきこと、何よりも施工精度が大切であることを強調する。また、全室暖房・計画換気を含めた諸要素が、バランスよく保たれることを理想とし、暖房や換気システムの機器選定にいたるまで実践的なノウハウを提供する。秋田県能代市に建つ「臥竜山の家」は、新住協が提唱する超省エネの高断熱住宅「Q1プロジェクト」の1つ。

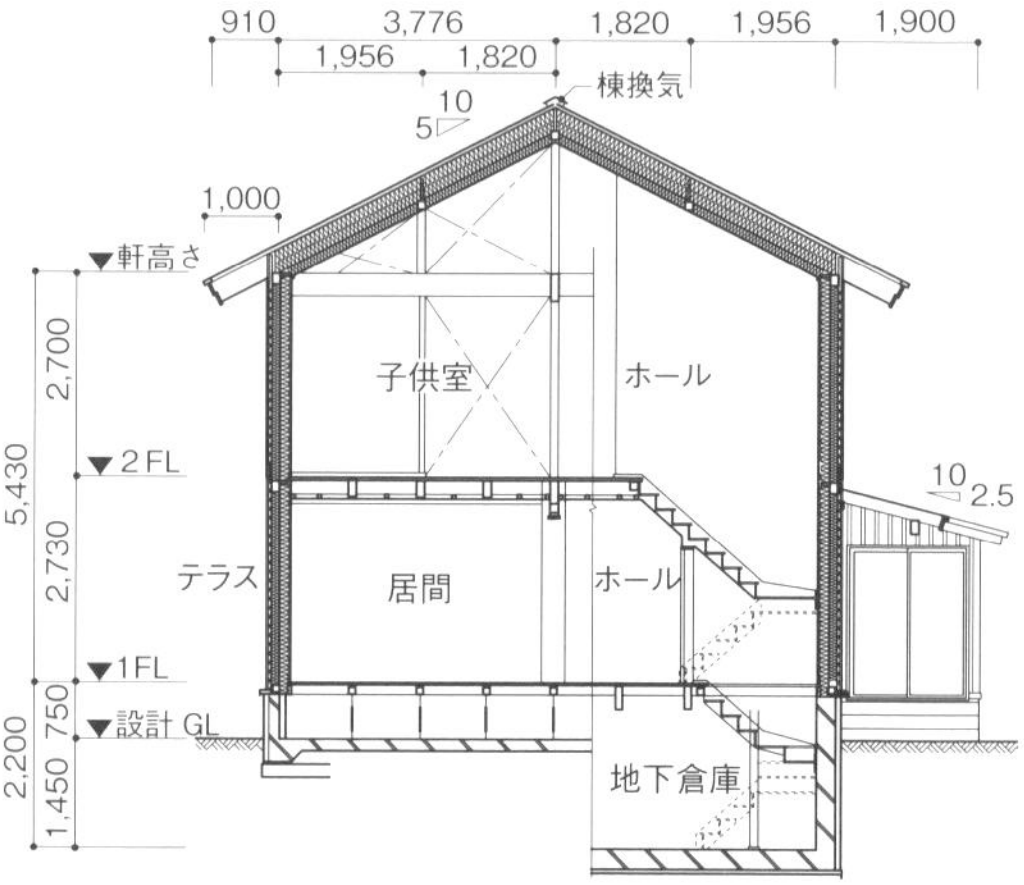

断面図 1:200

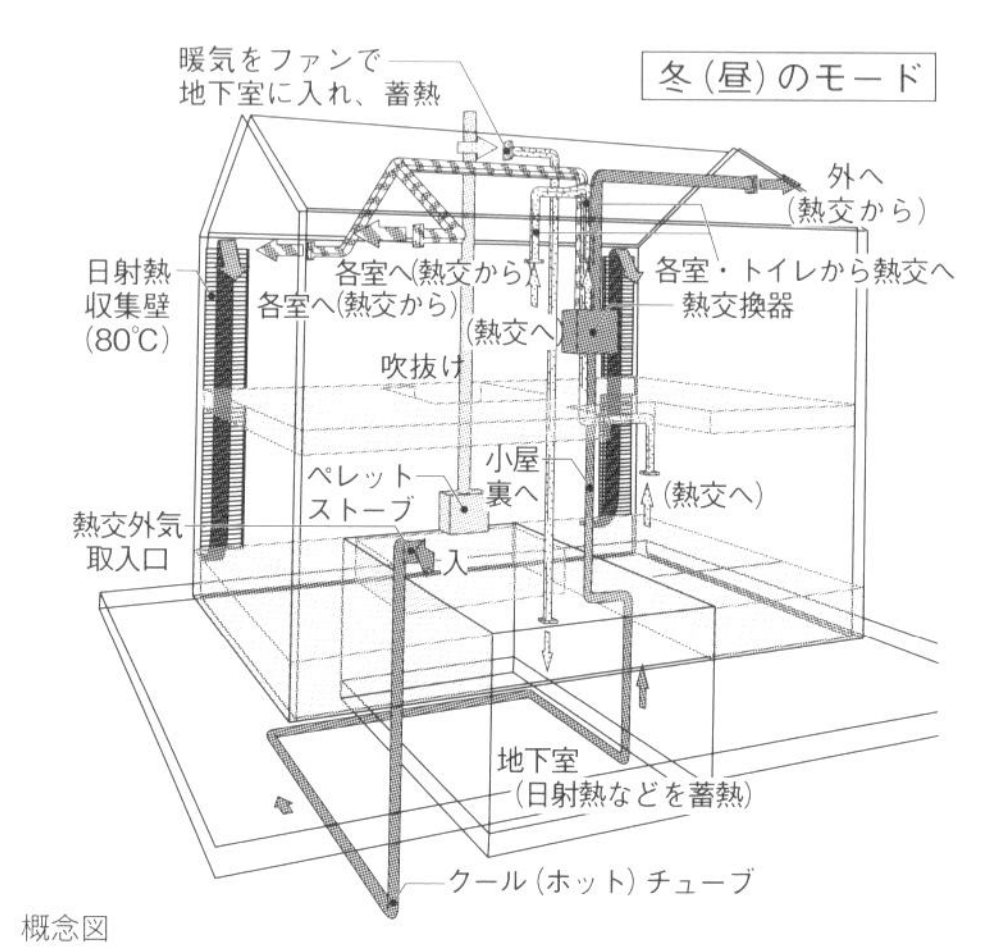

概念図

これまで一貫して熱や水蒸気の流れといった建築物理を住宅設計に取り入れ、建築生産的に捉えてきた。オイルショック後の当初は高断熱・高気密工法により、結露がなく省エネで暖かい住宅の設計。その後はバウビオロギーを取り入れ、臥竜山の家では躯体が進化し、Q値0.69W/㎡K、C値0.1㎠/㎡を達成。それに加えて太陽熱・地熱の自然エネルギーや薪やペレットなどのバイオマスエネルギーを使っている。　西方里見

写真：断熱仕様は、屋根が高性能グラスウール24kの400㎜厚、壁が250㎜厚で、開口部にはトリプルアルゴンLow-Eガラスの木製サッシを採用し、Q値は0.69w/㎡Kを達成。南面に太陽熱集熱壁を設け、屋根には太陽熱給湯パネルを設置。ペレット・薪兼用ストーブと熱交換換気システム、ホット（クール）チューブも備える（撮影：西方里見（写真［上］、［下］）、池田新一郎）

いれい・さとし［1959―］1982年琉球大学理工学部建設工学科計画研究室卒業後、東京藝術大学美術学部建築科大学院を修了。丸谷博男+エーアンドエーを経て、'96年伊礼智設計室を設立。建築家が手掛ける「設計の標準化」により、住宅の質的向上を目指す。主な著作に「伊礼智の住宅設計」（エクスナレッジ）など。

守谷の家

［2010年］

伊礼 智

標準化で上質な住まいを

「9坪の家」や「15坪の家」といった小住宅を手の物とする伊礼。素材を生かし、下地やディテールの工夫によって良質な〝普通の家〟をつくり続ける。また、住宅設計において建築家の担うべきデザイン性と住み心地のよさを確保しつつ、安定したコストと施工によって質の高い住宅を供給することを目的に、「設計の標準化」を提唱・実践している。

「守谷の家」には建築主一家3人と犬が暮らす。心地よい佇まいは抑え込まれた高さの美にあることを、伊礼は「銘苅家（めかるけ）住宅」という沖縄民家で見出し、高さや面積を絞り込んだこの住宅が生まれた。南側に長く低く軒を伸ばした切妻造りで白州そとん壁掻き落とし仕上げの壁が印象的。室内には火山灰を原料とする薩摩中霧島壁などの自然素材を用いている。開口部と家具の工夫で、コンパクトながら豊かで居心地のよい空間が生まれる。「プレタポルテの家づくり」を理想的なかたちで結実させた住宅。

伊礼は家づくりの新たなスタンダードを生み、熱い注目を集め続ける。現代の家づくりの仕組みそのものを変えようとしている建築家の1人である。

構造：木造2階建て　施工：自然と住まい研究所

2階平面図 1:250

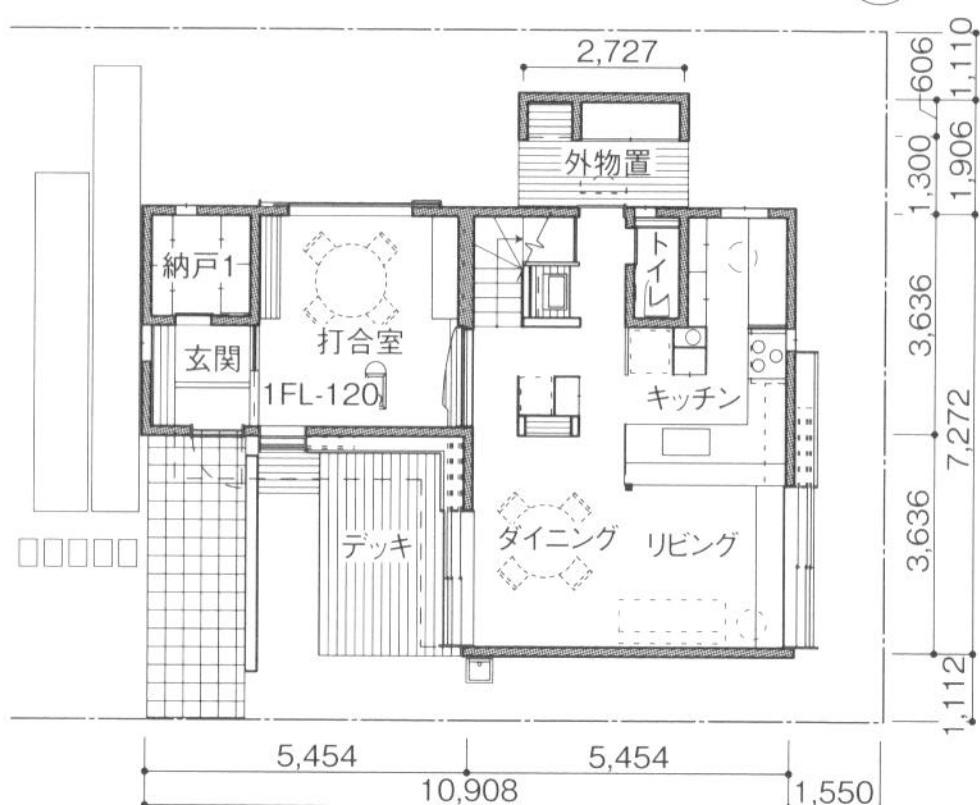

1階平面図 1:250

断面図 1:250

「建築知識」2004年2月号の特集「内装設計ディテール便利帖」で、伊礼氏の設計手法「i-works」を大きく取り上げた。以降、住宅設計の発想のみならず、さまざまなテーマで執筆を依頼。伊礼氏は2000年以降、「建築知識」に最も多く登場している執筆者の1人かもしれない。

写真上：建物正面のコンクリートの塀は沖縄の民家に見られる「ヒンプン」がモチーフ。目隠しだけでなく、魔除けの意味も込められており、パブリックとプライベートを緩やかにつなぐ役割を担っている
写真下：吹抜けの天井高さは4,120㎜と低く抑えられているが、地窓を開けることで部屋の重心が下がり、心地よい空間となる
（撮影：西川公朗）

建築においてインテリアの重要性が増している。言い換えれば、建築とインテリアの一体不可分化という傾向が進展しているからだ。このイラストは遠藤政樹氏と上島直樹氏が協働したインテリアデザインの新たな試み。

ビジュアルコラム

インテリアがとけ込んだ建築

―構造を通じてできる今までにないインテリア―

遠藤政樹・上島直樹／EDH遠藤設計室・千葉工業大学

1. 敷地に立つ。現況の問題点をさぐる

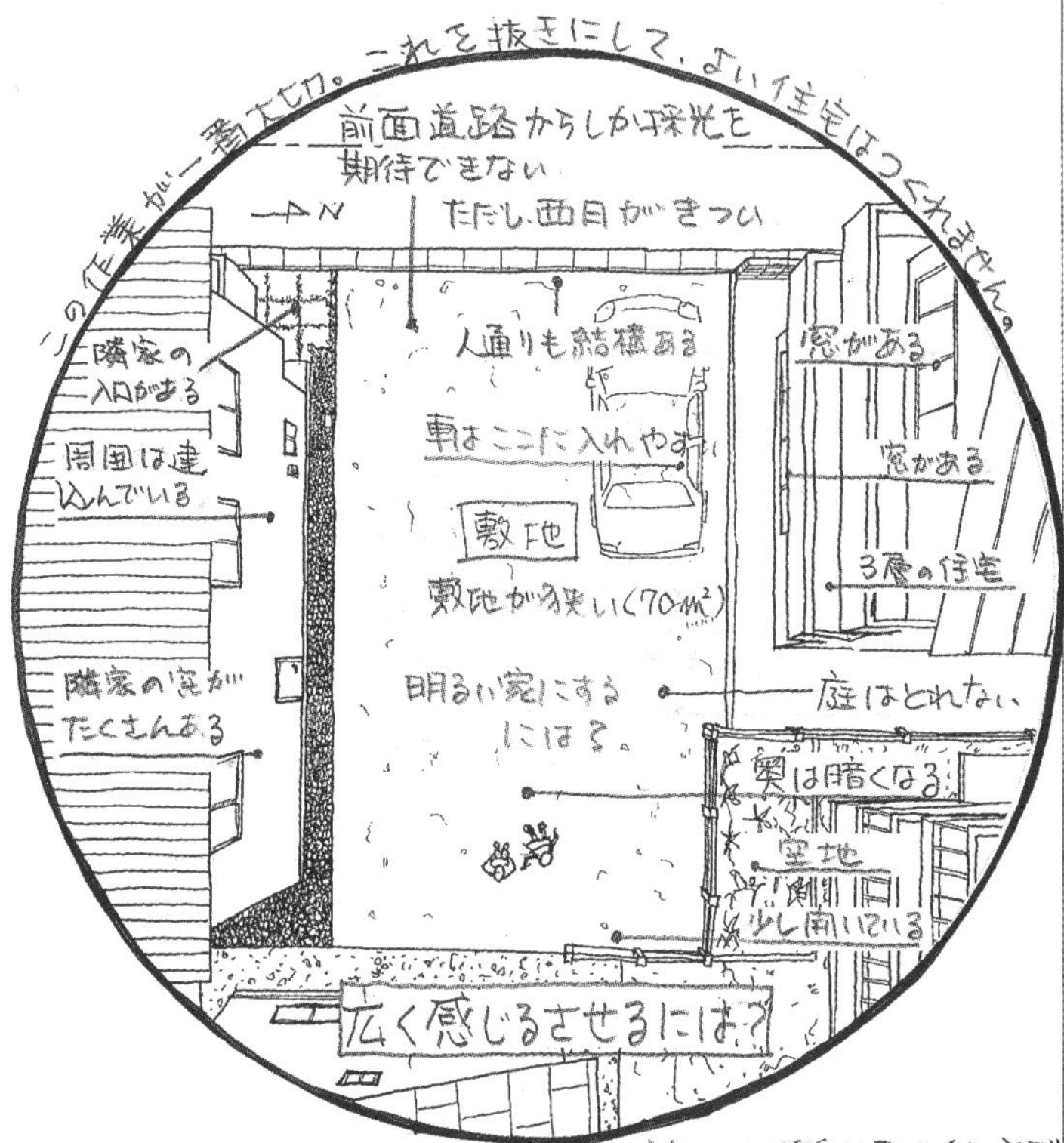

今までにないインテリアは、構造や施工に絡めていくことで
可能になります。様々な段階で、試みの検証を行います

参考文献：建築知識1988年5月号「ペタンランゲージを用いた家具つくり」

索引

人名・団体名

住宅作品名

執筆者プロフィール［執筆担当個所］

大川三雄　おおかわ・みつお
［各時代別総括・各建築家解説］

1950年群馬県生まれ。
建築史家、元日本大学理工学部建築学科教授、
日本大学大学院非常勤講師。
専門は日本近代建築史。
建築系ジャーナリズムの分野にも詳しく、
門下からは建築系出版社の編集者も多数輩出している。
DOCOMOMO Japan 実行委員も務め、
名建築への見学ツアーを企画するなど、
フィールドワークにも精力的に取り組む。

加藤純　かとう・じゅん
［各建築家解説］

1974 年大分県生まれ・東京育ち。
東京理科大学工学部第一部建築学科卒業、
同工学研究科建築学 専攻修士課程修了。
1999 年～ 2004 年「建築知識」編集部に在籍。
現在、フリー編集者・ライターとして活動。
専門分野は建築、インテリアなど。
“ 空間デザインの未来をつくる ”
「TECTURE MAG」チーフ・エディター。

イラスト
松島由林　まつしま・ゆさ
1974年東京都生まれ。
東京工業大学工学部建築学科卒。
建築系デザイナーを経て、現在はフリーの
イラストレーターとして活動。独自のタッチで描かれる
イラストが評価され主に人物イラストを中心に活躍中。

「奇跡」と呼ばれた日本の名作住宅

2021 年 1 月 12 日　初版第一刷発行

発行者　澤井聖一

発行所　株式会社エクスナレッジ
〒106-0032 東京都港区六本木 7-2-26
https://www.xknowledge.co.jp/

問い合わせ先
編集　Tel 03-3403-1381
Fax 03-3403-1345
info@xknowledge.co.jp
販売　Tel 03-3403-1321
Fax 03-3403-1829